Ymysg Lladron

ANTURIAETHAU TWM SIÔN CATI

T. Llew Jones

Gomer

I Iolo

Cyhoeddwyd gyntaf yn 1965 gan
Wasg Gomer, Llandysul, Ceredigion, SA44 4JL
www.gomer.co.uk

Argraffiad newydd – 2015

ISBN 978 1 84851 838 4

ⓟ T. Llew Jones ©

Argraffwyd a rhwymwyd yng Nghymru gan
Wasg Gomer, Llandysul, Ceredigion.

Pennod 1

Eisteddai Ledi Eluned Prys wrth y bwrdd brecwast. Dim ond hi oedd yn y stafell, ac nid bwyta roedd hi, ond darllen llythyr. Roedd hi eisoes wedi ei ddarllen deirgwaith ers iddo gyrraedd gyda'r goets o Lundain y noson cynt, ac roedd yr olwg ar ei hwyneb prydferth yn dangos bod ei gynnwys yn ei phoeni.

Aeth drosto unwaith eto'n fanwl.

Temple Mansions
Holborn
Llundain
28 Awst 1776

Annwyl Fonesig Eluned Prys,

Mae'n ddrwg gennyf orfod eich blino â'r cais bach sy'n y llythyr hwn.

Aeth yn agos i ddwy flynedd heibio ers i mi ymweld â'ch cartref hardd yn y Dolau, Tregaron. Yn anffodus, fel y cofiwch, roeddwn i yno pan ddigwyddodd y ddamwain drychinebus a achosodd farwolaeth eich gŵr, Syr Anthony.

Y noson cyn y ddamwain bu'r ddau ohonom yn chwarae cardiau tan oriau mân y bore, ac ers y noson honno mae yna swm bychan o bedwar cant a hanner o bunnoedd yn ddyledus oddi wrth Syr Anthony i mi, ac mae gen i bapur, wedi ei arwyddo ganddo i brofi hynny. Doeddwn i ddim am eich blino cyn hyn am fy mod i'n gwybod bod gyda chi faterion pwysicach i'w setlo, ar ôl colli eich gŵr mor sydyn. Yn wir, mae'n lled debyg na fyddwn wedi tynnu eich sylw at y ddyled yma o gwbwl oni bai fy mod i fy hunan wedi colli tipyn o arian yn ddiweddar. Oherwydd hynny, rhaid i mi ofyn i chi nawr am yr arian sy'n ddyledus i mi cyn gynted ag y bod modd, os gwelwch yn dda.

Gobeithio eich bod yn mwynhau iechyd ardderchog, a gobeithio y caf fi'r cyfle rywbryd eto i alw heibio i Dregaron a Llanbedr Pont Steffan . . .

Rhoddodd gwraig ifanc y plas y llythyr i lawr a dechreuodd feddwl, a'i dwy law o dan ei phen. Daeth diwedd trychinebus ei gŵr yn ôl yn glir i'w chof. Cofiodd mai'r dyn hwn, Syr John Sbens, oedd yn gofyn iddi am arian, oedd achos y ddamwain, a dweud y gwir. Fe oedd wedi rhoi her i Syr Anthony na fyddai'n gallu marchogaeth caseg ddu enwog y Dolau. Na, roedd Robert Ffynnon Bedr yn y fusnes hefyd. Roedd e'n gwybod bod y gaseg wedi taflu Syr Anthony ddwywaith neu dair o'r blaen, ac eto i gyd roedd e wedi annog y sgweier ifanc, hanner meddw, i dderbyn sialens Syr John Sbens. Pam wnaeth Robert hynny? A oedd gan y ffaith ei bod hi'n wraig i Syr Anthony rywbeth i'w wneud â'r ffaith fod Robert mor ddig tuag ato?

Cofiodd wedyn amdani'n edrych allan trwy ffenest y llofft a gweld ei gŵr yn mynd ar gefn y gaseg ac yn dechrau cerdded o gwmpas y clos. Roedd y gaseg yn ddigon tawel ar y dechrau, ond yn sydyn fe feddyliodd Syr Anthony fod rhaid iddo ddangos i bawb mai fe oedd meistr y gaseg. Trawodd ei hochr â'i sbardun miniog. Doedd y gaseg ddim wedi cael sbardun erioed o'r blaen, gan fod yr hen sgweier, Syr Harri Prys, wedi ei magu hi'n dyner. Daeth y naid sydyn a roddodd y gaseg yn fyw i gof Ledi Eluned y funud honno. Cofiodd fel y syrthiodd Syr Anthony o'r cyfrwy, ond ddim i'r llawr chwaith. Cydiodd ei droed dde yn y warthol a chafodd ei lusgo â'i ben i lawr ar draws y clos ac allan i'r lôn. Cyn i'r gaseg ddiflannu heibio i'r tro, gwelodd ben ei gŵr yn taro'r llawr hanner dwsin o weithiau. Pan ddaethon nhw o hyd i'r gaseg ar waelod y lôn roedd troed Syr Anthony'n dal yn y warthol o hyd, ond roedd e . . .

Wrth feddwl am farwolaeth ei gŵr doedd hi ddim yn teimlo unrhyw hiraeth ar ei ôl. A oedd hi'n galon-galed? Ysgydwodd ei phen wrth gofio mai priodas wedi ei threfnu gan ei thad oedd ei phriodas hi a Syr Anthony. Doedd neb wedi gofyn iddi a oedd yn ei garu. Roedd hi wedi bod yn hapusach yn ystod y ddwy flynedd ddiwethaf – ar ôl colli ei gŵr – nag oedd hi pan oedd e'n fyw.

Gwthiodd y meddyliau i gefn ei meddwl, a chydiodd mewn blwch bach pren du, gloyw oddi ar y bwrdd. Agorodd e a thynnu rhaff o berlau ohono.

Daliodd y gemau rhyngddi a'r ffenest a gwelodd nhw'n fflachio yn y golau. Pwysodd y rhaff yn ei llaw, cyn ei rhoi hi'n ôl yn y blwch.

Daeth sŵn traed at y drws a daeth ei thad i mewn. Dyn byr, moel tua'r hanner cant oed oedd Wiliam Morgan o Giliau Aeron, tad Ledi Eluned.

'Bore da, 'Nhad, gysgoch chi'n iawn?'

'Naddo, Eluned, chysges i ddim yn iawn!'

''Nhad!' meddai Ledi Eluned â hanner gwên gellweirus ar ei hwyneb. 'Hiraeth am Giliau Aeron?'

'Nage, ro'n i'n methu cysgu wrth feddwl am y ffordd rwyt ti'n rhedeg y stad 'ma.'

Eisteddodd Wiliam Morgan wrth y bwrdd ac edrychodd ar ei ferch hardd.

'Fues i o gwmpas ddoe, Eluned, yn edrych ar ffermydd y stad 'ma. Rwyt ti wedi codi beudy newydd yn Aberdeuddwr . . .'

'Ond roedd yr hen un wedi mynd â'i ben iddo, 'Nhad.'

'Rwy'n gweld bod to newydd ar ffermdy Rhydlydan wedyn.'

'Mae 'na bump o blant bach, 'Nhad; allwn i ddim gadel i'r glaw ddod mewn ar 'u penne nhw, allwn i?'

'A wedi holi, fe ffeindies i nad wyt ti wedi codi'r rhent ar yr un o'r ddou le.'

''Nhad bach, mae'n ddigon anodd arnyn nhw i ga'l dou pen llinyn ynghyd fel mae, heb orfod talu rhagor o rent.'

Chwifiodd Wiliam Morgan ei ddwy fraich uwch ei ben. 'Mae un peth yn ddigon siŵr; chei di byth mo ddou pen y llinyn ynghyd os ei di 'mlan fel hyn! Ti'n gwybod bod y dyn 'na – Huws Dolbantau – yn dechre cwyno nawr fod eisie beudy newydd arno fe, ar ôl clywed bod Aberdeuddwr wedi cael un? Weda i wrthot ti – rwyt ti'n sbwylio'r tenantied 'ma, Eluned. Sut wyt ti'n gallu fforddio'r holl gost 'ma, dyna beth leiciwn i ga'l gwbod?'

'Dw i ddim yn gallu fforddio, 'Nhad, gwaetha'r modd.'

'Beth? Wyt ti ddim yn brin o arian wyt ti – o ddifri?'

'Arian yw'r peth mwya prin o gwmpas y lle 'ma ar hyn o bryd.'

'Ond ble mae arian Anthony . . . a . . . a'r arian gest ti gen i ar ddydd dy briodas?'

'Adawodd Anthony fawr o ddim ond dyledion, a . . . rwy wedi bod yn eitha prysur yn ystod y ddwy flynedd ddiwetha yn clirio'r rheiny. Ro'n i'n meddwl 'mod i wedi talu'r cyfan o'r diwedd, ond fe ddaeth y llythyr 'ma gyda'r goets neithiwr. Darllenwch e, 'Nhad.'

'Ond . . . ond . . . caton pawb!'

Yna cydiodd Wiliam Morgan yn y llythyr o'i llaw a dechreuodd ddarllen. Daeth morwyn ifanc i mewn â brecwast iddo ar hambwrdd.

'Ydych chi eisiau rhywbeth nawr, mei ledi?' gofynnodd.

'Na, dim diolch, Neli.'

Trawodd Wiliam Morgan y bwrdd â'i ddwrn nes bod y llestri'n tincial.

'Pedwar cant a hanner!' gwaeddodd. 'Dwyt ti ddim yn mynd i dalu, wyt ti?'

Yna gwelodd y forwyn a thawelodd.

Gwenodd Ledi Eluned ar y ferch ac aeth honno allan.

'Fe fydd rhaid talu, 'Nhad.'

'Ond damio, ferch − pedwar cant a hanner! A'r cwbwl wedi'i wario mewn un nosweth, ar y cardie! Mae − mae'n ffortiwn!'

'Mae'n edrych yn ffortiwn i fi, beth bynnag; ond "swm bach" mae'r llythyr yn ei ddweud . . .'

'Anghofia beth mae'r llythyr yn ei ddweud! Fyddwn i ddim yn talu, 'na fi'n dweud wrthot ti.'

'Rwy'n mynd i dalu.'

'Gwna di hynny, ond cofia, paid â gofyn i fi am ddime goch!'

'Ro'n i'n meddwl falle y byddech chi'n gwrthod rhoi benthyg . . .'

'Rhoi benthyg! Dim rhoi benthyg fyddwn i, o roi arian i ti, yn ôl yr hyn rwy'n ei weld o gwmpas y stad 'ma; fydde gyda fi ddim siawns o ga'l yr arian 'nôl byth. Y gwir yw, Eluned, a siarad yn blaen, mae eisie dyn 'ma.'

'Eisie dyn? 'Nhad! Beth y'ch chi'n feddwl?'

'Mae eisie i ti ailbriodi, dyna beth wy'n 'i feddwl.'

Chwarddodd Ledi Eluned.

'Y'ch chi'n meddwl y bydde hynny'n setlo'r broblem? Dw i ddim yn cofio bod pethe fawr gwell pan oedd Anthony'n fyw.'

'Mae eisie dyn i redeg y stad 'ma. Beth mae merch ifanc fel ti'n wbod am redeg stad – does dim syniad gen ti! A ma' cystal i fi gyfadde wrthot ti nawr – rwy i wedi dechre gwneud trefniade ar dy gyfer di.'

'O?'

'Dyw Robert, mab Ffynnon Bedr, ddim wedi priodi o hyd, a rwyt ti'n gwbod yn iawn 'i fod e'n dotio arnat ti. Wel, mae'i dad a finne wedi bod yn siarad . . .'

Torrodd Ledi Eluned ar ei draws.

''Nhad, dw i ddim am i chi drefnu dim ar 'y nghyfer i ragor. Ry'ch chi wedi trefnu un briodas i fi; os bydda i'n priodi 'to, mi fydda i'n dewis 'y ngŵr y'n hunan.'

'Ond rwy i wedi addo i Syr Tomos . . .'

'Mae'ch brecwast chi'n oeri, 'Nhad.'

'Anghofia am 'y mrecwast i. O'r gore, ddwedwn ni ddim rhagor ar y pwnc 'na nawr. Ond i ddod 'nôl at y llythyr 'ma – sut wyt ti'n mynd i godi'r arian i dalu Syr John Sbens, gan dy fod di wedi penderfynu talu'r ddyled? Wyt ti'n mynd i werthu'r gaseg?'

''Nhad, rwy wedi dweud wrthoch chi o'r bla'n, dim fi pia'r gaseg. Fe ddywedodd Syr Harri Prys ar 'i wely angau mai Twm Siôn Cati oedd i ga'l y gaseg.'

'Wel, beth mae hi'n wneud yn bwyta ceirch stable'r Dolau 'te?'

'Dw i ddim yn mynd i ddadle â chi 'to am y gaseg, 'Nhad; rwy i wedi addo i Twm Siôn Cati ei bod hi'n cael aros yn stablau'r Dolau . . . a pheth arall, mae Twm yn help mowr i fi.'

'Mae e'n hala gormod o lawer o'i amser yn y plas 'ma, Eluned. Ry'ch chi'ch dau tua'r un oed on'd y'ch chi?'

''Nhad!' Edrychodd y ddau ar ei gilydd a gwelodd Wiliam Morgan fod ei ferch yn gwrido.

'Eluned, does dim byd rhyngoch chi, oes e?'

'Dim byd, dim byd o gwbwl, 'Nhad.'

'Gobeithio hynny, wir. Pwy mae e'n feddwl yw e? Cofia, fe elli di ga'l dy ddewis o foneddigion y sir 'ma!'

''Nhad, dechreuwch fwyta'ch brecwast nawr, wir.'

Plygodd Wiliam Morgan at ei frecwast o'r diwedd. Yna gwelodd y blwch bach ar y bwrdd. Gwgodd arno.

'Beth yw hwnna?'

Cododd gwraig ifanc y plas y clawr a thynnu rhaff berlau allan.

'Yr arswyd! Pwy pia nhw?'

'Mam Anthony *oedd* pia nhw. Ond nawr mae'n debyg mai fi yw 'u perchennog nhw.'

'Beth wyt ti'n mynd i 'neud â nhw?'

'Talu'r ddyled 'ma,' gan bwyntio at y llythyr. 'Dyled ola Anthony fydd hon gobeithio, ac mae'n iawn 'i thalu hi â rhaff o berlau'i fam.' Tynnodd y rhaff ddisglair rhwng ei bysedd. 'Mae hon yn werth pum cant, o leia.'

'Chei di neb yn sir Aberteifi i roi cymaint â hynny i ti.'

'Na, ond rwy'n mynd i'w hanfon hi i Lunden, 'Nhad.'

'Wyt ti ddim yn mynd i fentro anfon honna gyda'r goets, wyt ti? Fe fydd rhyw leidr pen-ffordd wedi cael gafael ynddi cyn iddi gyrraedd Llunden.'

'Na, chaiff hi ddim mynd gyda'r goets. Rwy'n mynd i ofyn i Twm Siôn Cati fynd â hi.'

Dechreuodd Wiliam Morgan fwmian rhywbeth am roi 'gofal yr ŵydd i'r cadno', ond gwelodd fflach beryglus yn llygad ei ferch ac aeth ymlaen â'i frecwast yn syth.

Pennod 2

Roedd Twm Siôn Cati ar ei ffordd i Lundain. Roedd hi'n ddiwrnod sych, gwyntog a'r awyr uwchben yn gymysg o las a gwyn. Rhedai'r gaseg ddu'n esmwyth ar hyd yr heol wastad oedd yn arwain i Henffordd. Roedden nhw eisoes wedi teithio 'mhell – dros y mynydd i Lanwrtyd a thrwy Gilmeri i Lanfair-ym-Muallt. Yna'r daith trwy ddyffryn prydferth afon Gwy i'r Gelli.

Ond roedd Twm ddim wedi sylwi rhyw lawer ar brydferthwch y wlad wrth deithio. Roedd ei feddwl yn llawn penbleth ac amheuaeth ers dyddiau, a doedd golygfeydd hyfryd dyffryn Gwy ddim yn gwneud dim i godi ei galon. Roedd yn meddwl eto am y siarad a glywodd rhwng Syr Tomos Llwyd, Ffynnon Bedr a Wiliam Morgan yn stabl y Dolau. Digwydd clywed y sgwrs rhwng y ddau wnaeth e, gan nad oedd yr un o'r ddau wedi sylweddoli fod e yn y stabl ar y pryd. Doedd Twm ddim wedi clywed dechrau'r sgwrs ond fe glywodd ddigon i ddeall beth oedd yn cael ei drefnu gan y ddau, sef priodas Ledi Eluned a Robert, mab Ffynnon

Bedr. Roedd geiriau'r hen Syr Tomos gyfrwys yn dal i redeg trwy ei feddwl.

'Rhaid i ni wneud ein gore dros ein plant, Wiliam Morgan.'

Ac yna ateb sebonllyd Wiliam Morgan.

'Wrth gwrs, Syr Tomos, ry'n ni wedi aros yn rhy hir. Mae'n hen bryd uno'r ddou deulu . . .'

'Ie, y ddou deulu a'r ddwy stad, Wiliam, e? Dy'ch chi ddim yn meddwl y bydd Ledi Eluned yn gwrthwynebu?'

Yna chwerthin Wiliam Morgan fel pe bai'r posibilrwydd hynny'n rhy ddoniol i feddwl amdano.

'Eluned yn gwrthwynebu, Syr Tomos? Dim peryg! Rwy'n digwydd gwbod, syr, 'i bod hi'n meddwl y byd o Robert.'

'Ardderchog!' meddai Sgweier Ffynnon Bedr. 'Dyna'r mater wedi'i setlo 'te.'

'Ydy, cyn belled ag y gwela i, Syr Tomos, does 'na ddim un rhwystr.'

'Mae 'na un peth bach, Wiliam.'

'Ie?'

'Faint fydd yn mynd gyda'r ferch ifanc?'

'Wel, fe fydd y stad, wrth gwrs . . .'

'Y stad, Wiliam! Dim am y stad ro'n i'n meddwl . . . faint o arian parod?'

'E . . . rhaid i chi gofio, Syr Tomos, mai dwy flynedd sydd ers pan briododd hi gynta . . .'

'Nawr, Wiliam, mae'ch poced chi'n ddwfn.

15

Chi sy'n ca'l trethi harbwr Aberaeron o hyd, ontefe?'

'Ie, ond . . .'

'Ac mae John Gwynne yn hawlio mai fe ddyle'u ca'l nhw?'

'Ydy, ond . . .'

'Ac mae e'n bygwth mynd i gyfreth? Peidiwch â phoeni, Wiliam, mae gen i ddylanwad, fel ry'ch chi'n gwybod. Ond yr arian, Wiliam . . .'

'Wel, fydda i'n ddigon hael, Syr Tomos . . .'

'Dyna welliant nawr, Wiliam! Beth bynnag, fe fydd hon yn mynd gyda hi, ac rwy'n meddwl bod 'na beth arian yng nghoese hon, e, Wiliam?'

Wedyn roedd y ddau wedi mynd allan o'r stabl ac o gyrraedd clustiau Twm. Roedd e'n gwybod mai'r 'hon' y cyfeiriodd Syr Tomos ati oedd y gaseg ddu oedd yn ei gario tua Henffordd y funud honno. Roedd pob gair o'r sgwrs yn y stabl wedi aros ar ei gof. Doedd e ddim wedi meddwl y byddai Ledi Eluned yn priodi, yn enwedig ag etifedd Ffynnon Bedr; allai e ddim credu bod y fath beth yn bosib. Ond roedd Wiliam Morgan wedi dweud ei bod yn meddwl y byd . . .

A nawr roedd e'n teimlo mai priodas rhwng y ddau yma oedd y peth mwya naturiol yn y byd. Pam na fyddai wedi meddwl am hynny'n gynt? Ceisiodd ddychmygu sut y byddai pethau ar ôl iddyn nhw briodi. Roedd hi'n amlwg fod yr

16

hen Syr Tomos yn cyfri'r gaseg ddu fel rhan o gyfoeth Ledi Eluned. Roedd hi'n amlwg hefyd ei fod yn gwybod ei gwerth ac yn bwriadu gwneud elw ohoni.

Yna dechreuodd Twm feddwl am wraig ifanc y Dolau. Yn ddiweddar roedd e wedi cael llawer o'i chwmni ac roedd hithau wedi dod i ddibynnu arno am help ac am gyngor ynglŷn â threfnu pethau ar y stad, ac roedd e wedi dod yn hoff iawn ohoni. Nawr fe sylweddolodd pa mor annwyl.

Cofiodd Twm ei geiriau olaf cyn dechrau am Lundain a'r rhaff berlau'n gorwedd y tu mewn i leinin ei wasgod.

'Does dim eisie i chi frysio'n ôl; mae'n debyg y gwelwch chi lawer o bethau at eich ffansi yn Llunden . . .' A chwerthin yn ei llygaid! Ond beth oedd yn ei meddwl?

Yna gwelodd Twm dafarn yn dod i'r golwg ar groesffordd o'i flaen. Uwchben y drws roedd yr enw – The Black Horse – mewn llythrennau bras. Gwenodd Twm wrtho'i hunan gan edrych i lawr ar hyd gwddf du'r gaseg.

'Efallai y byddai'n well treulio'r nos yn y dafarn yma,' meddyliodd.

Na, gallai fynd ymlaen am dipyn eto – fe fyddai mwy o westai wrth nesáu at dref Henffordd.

Ond wrth fynd heibio i'r Black Horse gwelodd geffyl coch, tal yn sefyll wrth y drws. Roedd y gaseg wedi ei gario heibio i'r lle erbyn hyn, ond sylweddolodd Twm yn sydyn ei fod yn nabod y ceffyl coch. Ble roedd e wedi'i weld e o'r blaen?

Yna cofiodd mewn fflach a throdd ben y gaseg yn ôl tua'r dafarn. Edrychodd unwaith eto'n graff ar y ceffyl coch. Ie, hwn oedd ceffyl ei hen ffrind Rhys Parri'r porthmon o Ferthyr Cynog.

Disgynnodd o'r cyfrwy a chlymodd ffrwyn y gaseg wrth ddolen yn y wal, wrth ymyl y ceffyl coch.

Cyn i Twm fynd i mewn i'r dafarn daeth un o'r dynion bach rhyfeddaf a welodd erioed heibio i dalcen y Black Horse. O ran ei gorff doedd e fawr iawn mwy na phlentyn. Ond roedd ganddo wyneb rhychiog fel hen ŵr. Roedd e'n gwisgo hen het mor dyllog fel nad oedd hi fawr o werth i gadw'i ben yn gynnes. Roedd ei chorun wedi treulio bron yn llwyr ac roedd ei wallt brithlwyd i gyd yn y golwg, bron. Ac yn ei wallt a'i ddillad i gyd roedd gwellt yn sticio allan fel pigau draenog.

Edrychodd y dyn bach ddim ar Twm; aeth ymlaen at ben y ceffyl coch. Ond wedyn trodd ei lygaid at y gaseg, a safodd yn stond. Anghofiodd y ceffyl coch yn llwyr. Edrychodd dros y gaseg o flaen ei chynffon hyd flaen ei thrwyn. Aeth ymlaen ati a rhoi ei law ar ei thrwyn melfed, gan wneud rhyw sŵn bach rhyfedd rhwng ei ddannedd.

'Gwylia!' meddai Twm. 'Paid â mynd yn rhy agos ati!'

Trodd y dyn bach i edrych ar Twm am y tro cyntaf.

'Chi yw perchennog y gaseg ddu, syr?' gofynnodd, ac roedd ei lais mor fain â llais plentyn.

'Ie, paid â mynd yn rhy agos ati; dyw hi ddim yn rhy hoff o ddieithried.'

Chwarddodd y dyn bach.

'Fe alla i 'i thrin hi, syr, does dim eisie i chi ofidio.' Ac yn wir, roedd y gaseg yn rhwbio'i thrwyn yn erbyn ei got arw.

'Fyddwch chi'n aros gyda ni heno, syr?'

'Mae'n dibynnu,' meddai Twm. 'Pwy yw perchennog y ceffyl coch?'

'Y dyn tew.'

'Rhys Parri'r porthmon?'

'Ie, mae e'n aros yn y Black Horse heno. Dod i roi'i geffyl e yn y stabal o'n i nawr.'

'Ti yw'r osler, mae'n debyg?'

'Ie – Wilf yr osler.'

'O'r gore, fe gei di roi'r gaseg yn y stabal hefyd. Gofala amdani – mae wedi teithio 'mhell.'

'Does dim eisie i chi ofidio, syr, dim yn amal y byddwn ni'n cael brenhines fel hon yn stablau'r Black Horse. Mae'n debyg y byddwch chi'n mynd ymlaen i Henffordd fory?'

Gwenodd Twm ar y dyn bach rhyfedd.

'I Henffordd? Bydda, mi fydda i'n mynd i Henffordd.'

'Ro'n i'n meddwl wir,' meddai'r dyn bach, gan edrych ar y gaseg.

Aeth Twm i mewn i'r dafarn.

Er ei bod hi heb nosi tu allan, doedd fawr o olau hwyr y dydd yn dod drwy ffenestri bychan hen dafarn y Black Horse, a phan gyrhaeddodd Twm y gegin fawr doedd y canhwyllau ddim wedi eu cynnau ac roedd hi'n lled dywyll yno. Roedd tân coed yn llosgi ar yr aelwyd, ac o flaen y tân roedd dau ddyn, un ar ei eistedd a'r llall ar ei draed â'i gefn at y tân. Doedd Twm ddim yn adnabod y dyn ar ei draed, ond gallai weld ei fod wedi'i wisgo'n ffasiynol a'i fod yn cario cleddyf wrth ei wregys. Dim ond gwar y llall allai e weld, ond roedd yn gwybod ar unwaith mai ei hen gyfaill y porthmon tew oedd e, a theimlodd yn falch.

Ond roedd y porthmon a'r dieithryn wrth y tân yn dadlau, a doedd yr un ohonyn nhw wedi sylwi bod neb wedi dod i mewn i'r stafell.

'Mae'n ddrwg gen i, syr,' meddai'r porthmon a'i lais yn bigog, 'alla i ddim cytuno â chi; mae'r Cymro cystal ffermwr â'r Sais unrhyw ddydd.'

'Pa!' meddai'r dieithryn, gan daro'i droed ar y llawr. 'Geifr! Defaid! Dyna'r unig greaduriaid sy'n gallu byw ar eich mynydde chi yng Nghymru!'

'Mynydde! Mae gyda ni ddyffrynnoedd hefyd, syr! Dyffryn Tywi, dyffryn Teifi, dyffryn Gwy . . .'

'Dyna ddigon, syr, dw i ddim eisiau gwers mewn daearyddiaeth, os gwelwch chi'n dda. Mae'r ffaith yn aros nad oes dim gobaith gyda chi yng Nghymru i fagu cystal gwartheg â ni yn Lloegr.'

'Hw! Dyna'ch barn chi, ife? Wel dwedwch wrtha i – pam mae cigyddion Lloegr yn prynu cymaint o wartheg Cymru bob blwyddyn 'te?'

'Wel . . .'

'Ie, "wel", syr; fe ellwch chi ddweud "wel" faint a fynnoch chi. Ydych chi'n gwybod faint o gannoedd o eidionnau sy'n mynd o Gymru i Lunden bob blwyddyn? Na. Mae gwŷr mwya Llunden yn bwyta cig eidion o Gymru; synnwn i ddim nad yw'r teulu brenhinol yn cael swper o gig bustach o ddyffryn Tywi y funud 'ma, ac mae'r teulu brenhinol siŵr o fod yn gwbod beth yw beth; fusech chi ddim yn ame hynny gobeithio, syr?'

Gwenodd Twm wrtho'i hunan yn yr hanner tywyllwch. Roedd e wedi eistedd ar gadair yn ddigon pell o olau'r tân erbyn hyn, ac yn ddigon agos i glywed yr hyn oedd yn mynd ymlaen.

Ond y foment honno daeth y forwyn i mewn â chanhwyllau i oleuo'r stafell, gan dorri ar ddadl y ddau wrth y tân.

'A! Dyma oleuni ar y ddadl!' meddai Rhys Parri, gan droi ei ben.

Yna gwelodd Twm yn eistedd o fewn dwylath iddo. Agorodd ei lygaid a'i geg led y pen, yna neidiodd ar ei draed.

'Twm! Twm Siôn Cati! Arswyd y byd – does bosib! Ie, Twm yw e! Yr hen walch â ti. O ble ddest ti? I ble rwyt ti'n mynd? Pam rwyt ti'n eiste fan'na heb ddweud dim byd, bachan?'

Cydiodd ym mraich Twm a'i hysgwyd nes bod ysgwydd hwnnw'n brifo.

'Fe weles i'r ceffyl coch wrth y drws, Rhys Parri; rwy'n falch o'ch gweld chi.'

'Wel, wel! Does dim byd o'i le, oes e, Twm?'

'Na, dim byd,' meddai Twm, gan gofio am y tro diwetha iddo e a Rhys Parri dreulio noson yn yr un gwesty.

'Wel, tyn y gader 'na'n nes at y tân.' Trodd y porthmon tew at y forwyn.

'Diod, 'merch fach i! Rwy wedi cwrdd â hen ffrind ac mae'n rhaid i ni ddathlu.'

Trodd at y gŵr bonheddig.

'Rhaid i chi gael glasied gyda ni, syr, er eich bod chi'n credu bod popeth yn well gan y Sais nag sy gan y Cymro.'

'Ddwedes i ddim mo hynny o gwbwl,' meddai'r gŵr bonheddig. 'Rwy'n Gymro fy hunan – o'r Fenni.' Trodd at Twm gan fowio. 'Richard Olifer, syr, at eich gwasanaeth!'

'Mae'n dda gen i'ch cyfarfod chi, syr,' atebodd Twm.

'Mae eich ffrind, y porthmon, yn credu mai'r fuwch yw'r anifail mwya ardderchog yn y byd. O'm rhan fy hun, mae'n well gen i geffylau. Rwy ar fy nhaith i Henffordd – mae gen i geffyl, y Grey Duke, yn rhedeg yn y ras fawr fory.'

Gwnaeth y bonheddwr fow fach arall i Twm. Edrychodd hwnnw ar ei wisg ffasiynol a'i wyneb crwn, pinc.

'O,' meddai, 'mae'r Grey Duke yn geffyl da mae'n debyg?'

'Yn fy marn i, syr – er na ddylwn i ddim dweud hynny, falle – does dim ceffyl tebyg iddo fe o fewn can milltir i'r lle 'ma.' Ac unwaith eto bowiodd i Twm.

Daeth y forwyn yn ôl â jwg a thri phot pridd ar hambwrdd.

'A!' meddai Rhys Parri, 'yfwch chi gyda ni, syr?'

Ymgrymodd y gŵr bonheddig i ddangos ei fod yn fodlon gwneud y ffafr honno â'r porthmon.

Arllwysodd Rhys y ddiod ac estyn cwpan i bob un.

'Iechyd da!' meddai gan godi ei gwpan at ei geg.

'I'r Grey Duke,' meddai Twm gan godi ei un yntau.

Gwenodd y gŵr bonheddig ar hyn, a hawdd gweld bod Twm wedi ei blesio.

Ond trodd Rhys Parri ato.

'Mae gan fy ffrind yma gaseg, syr, caseg ddu – y byddwn i'n fodlon rhoi pob dime goch sy gen i arni, mewn ras yn erbyn unrhyw geffyl yn Lloegr!'

Chwarddodd Twm a deallodd nad dyna'r ddiod gyntaf i'r porthmon ei hyfed y noson honno.

Gwgodd y gŵr bonheddig arno.

'Mae'n debyg eich bod chi'n ceisio dechre dadl arall, syr,' meddai, gan roi ei gwpan i lawr wrth y tân heb yfed diferyn.

'Rwy'n dweud y gwir,' meddai Rhys Parri, gan daro'r bwrdd â'i ddwrn mawr.

Chwarddodd y gŵr bonheddig.

'Mae'n amlwg, syr, nad ydyn ni'n dau'n siarad yr un iaith. Pan fydda i'n sôn am geffylau, rwy'n meddwl am geffylau o waed, syr, nid am ferlod mynydd fel y rhai sy gyda chi yng Nghymru.'

Aeth y porthmon yn gacwn wyllt.

'Merlod mynydd! Glywest ti, Twm? Ble mae'r gaseg? Mae hi gyda ti, gobeithio?'

'Ydy, mae hi gyda'r osler ar hyn o bryd.' Yna trodd at y gŵr bonheddig, 'A phe bai amser yn caniatáu, fe garwn i weld ras rhyngddi a'r Grey Duke . . .'

'Ie, neu unrhyw geffyl arall yn Lloegr, syr!' gwaeddodd y porthmon, gan roi pwyslais arbennig ar y gair 'syr' er mwyn dynwared y gŵr bonheddig.

Edrychodd hwnnw o un i'r llall heb ddweud dim am foment. Yna dywedodd yn bwyllog:

'Wel, gan fod y gaseg yma yn stabal y Black Horse fe garwn i gael cip arni, syr, os nad oes gwahaniaeth gyda chi.'

'Dim gwahaniaeth o gwbwl,' meddai Twm.

'Na, fe gewch chi'i gweld hi am ddim,' meddai'r porthmon.

'Gawn ni fynd allan i'r stabal gyda'n gilydd ffrindiau,' meddai'r gŵr bonheddig, gan fowio i'r ddau.

Aeth y tri am y drws. Ond cyn iddyn nhw fynd allan daeth y forwyn i ofyn iddyn nhw a oedd eisie iddi baratoi swper.

'Wrth gwrs,' meddai Rhys Parri.

'Rwy i wedi cael swper, diolch,' meddai'r gŵr bonheddig. 'Ar ôl gweld eich caseg chi, syr,' gan droi at Twm, 'mi fydda i'n mynd i'm stafell i sgrifennu tipyn. Rwy'n arfer gwneud hynny bob nos cyn mynd i'r gwely.'

Edrychodd y porthmon yn wawdlyd arno ond llwyddodd i ddal ei dafod.

Pan ddaethon nhw at y stabal roedd yr osler bach yn pwyso ar ffrâm y drws.

'Mae'r gŵr bonheddig yma eisie gweld y gaseg ddu,' meddai Twm wrtho.

'Caseg dda, Mr Olifer, syr,' meddai'r dyn bach gan symud o'r ffordd i'r tri gael mynd i mewn.

Roedd lamp fawr wedi ei chynnau yn y stabl erbyn hyn a gwelodd Twm fod yr osler bach wedi gofalu'n dda am y gaseg. Roedd digon o geirch o'i blaen a'i chot ddu'n disgleirio fel swllt.

'Dyma hi, syr,' meddai Twm wrth y gŵr bonheddig.

Edrychodd hwnnw ar y gaseg, yna ar Twm, yna'n ôl ar y gaseg wedyn am dipyn heb ddweud yr un gair.

'Y creadur perta sy wedi bod yn y stabal 'ma erioed, Mr Olifer, syr,' meddai llais main yr osler.

'Go lew, was!' meddai'r porthmon, gan roi ei law ar ei ysgwydd.

Chwarddodd y gŵr bonheddig.

'Wrth gwrs, dyw'r Duke erioed wedi bod yn stabal y Black Horse,' meddai, gan gerdded yn nes i gael gwell golwg ar y gaseg.

'Wel, beth amdani, syr?' gofynnodd Twm.

'O, mae'n greadur digon pert, o ydy, ond dyw hi ddim yn deg 'i chymharu hi â'r Duke, wrth gwrs. Mae hwnnw'n fwy o geffyl o lawer. Mae eich caseg chi, syr, yn ysgafn, os ca' i ddweud hynny, yn rhy ysgafn falle ar gyfer ras hir fel hon yn Henffordd fory. Mae eisie ceffyl mawr i redeg ras tair milltir.'

'Rwy'n anghytuno â chi, syr,' meddai Twm yn swta.

'Credwch chi fi syr, mae gen i brofiad helaeth o geffylau.'

'Mae gen inne hefyd,' meddai Twm, â min ar ei lais.

Ond aeth y boneddwr yn ei flaen heb sylwi, neu heb boeni, fod llais Twm wedi newid.

'Y'ch chi'n gweld, mae gyda ni ddywediad yn Lloegr – "Ceffyl ysgafn, ras fer", "Light horse, short race"!'

'O, felly,' meddai Twm, gan edrych yn ffyrnig ar y dyn. 'Mae gynnon ninne ddywediad yng Nghymru am geffyle llwyd fel eich un chi, a dyma fe, "Ceffyl llwyd, byr ei wynt".'

Sythodd y gŵr bonheddig a gwthiodd ei frest allan fel ceiliog yn paratoi i ganu. Ond aeth Twm yn ei flaen.

'A phe bai gen i amser i aros yn Henffordd fory, fe alle'r gaseg 'ma ddangos y ffordd adre i'r Grey Duke neu unrhyw geffyl arall!'

Safodd y gŵr bonheddig yn syth ar lawr y stabl yn anadlu'n drwm. Ddywedodd e 'run gair am funud, gan edrych fel pe bai'r geiriau'n ei dagu. Yna dywedodd yn uchel:

'Dw i ddim yn mynd i aros fan yma i gael fy insyltio, syr. Rwy'n mynd i'm stafell i sgrifennu yn fy nyddiadur; a chredwch chi fi, syr, fydd gyda fi ddim byd caredig iawn i'w sgrifennu am y cwmni rydw i wedi'i gwrdd yn y dafarn 'ma heno. Mae'n biti na allech chi gymryd rhan yn y ras fory, er mwyn gweld pa mor fyr ei wynt yw 'ngheffyl i; ac unrhyw bryd y byddwch chi'n barod i fentro, syr, mi fetia i gan gini ar y Duke yn erbyn y tipyn creadur 'ma — unrhyw amser, syr. Nos da i chi!'

Ac wedi cyflwyno'r araith yma bowiodd i Twm a cherddodd allan yn syth, heb edrych ar y porthmon na'r osler.

Aeth y stabl yn dawel am funud, yna dechreuodd Rhys Parri chwerthin.

'O diar, dyna ei diwedd hi, Twm bach! Fe fydd ein henwe ni yn y dyddiadur! O diar, beth wnawn ni? Dyna hi ar ben arnon ni nawr!'

Yn ddiweddarach y noson honno roedd Rhys Parri a Twm yn eistedd wrth dân cegin gefn y Black Horse. Roedd Wilf yr osler wedi dod i mewn ac wedi eistedd yng nghornel y simnai heb ddweud yr un gair wrth neb.

'Yr arswyd, Rhys Parri,' meddai Twm, 'oni bai 'mod i ar neges dros Ledi Eluned, fydde dim yn well gen i na chael rhedeg yn y ras 'na fory.'

'Wel, pam na wnei di? Dim ond un diwrnod yn hwyrach fyddi di. Ac os wyt ti'n credu'n siŵr fod siawns i'r gaseg ennill fe fydde'n talu'r ffordd i ti aros. Myn brain i, fe garwn i dy weld ti'n rhedeg yn y ras, ac yn curo ceffyl y dyn ofnadw 'na.' A chododd Rhys ei lygaid tua'r llofft uwchben.

Edrychodd Twm yn feddylgar i'r tân am dipyn.

'Fe fydde'n gyfle i'r gaseg, Rhys Parri. Mae'n hen bryd iddi gymryd rhan mewn ras fowr; mae yn 'i hamser gore – yn bedair oed yn codi'n bump. Fe enillodd 'i mam yn erbyn rhai o geffyle gore Lloegr. Fe garwn i gael cyfle i weld beth all hi ei 'neud.'

'Wel, gwell i ti aros yn Henffordd fory 'te.'

'Rwy'n meddwl mai dyna fydde dymuniad yr hen sgweier. Dyna i gyd oedd e'n ddisgwyl amdano – yr amser pan fydde'r gaseg ddu'n barod i rasio.'

Roedd yna ddistawrwydd wedyn am dipyn. Yna cododd Twm ar ei draed yn sydyn.

'Mae'n mynd i ga'l 'i chyfle, Rhys Parri!'

'Rwyt ti'n mynd i'w rhedeg hi?'

'Ydw.'

'Ardderchog!' meddai Rhys. 'Fe fydd yn rhaid i fi fod yn Henffordd fory, beth bynnag, i ddisgwyl y gwartheg.'

'O? Weles i ddim gyr o wartheg ar y ffordd 'ma?'

'Naddo, mae'n debyg, os ddest ti ar hyd y briffordd. Fe ddylet ti wbod, Twm bach, fod y porthmyn yn osgoi'r priffyrdd bob amser os oes modd. Ond fe fyddan nhw'n cyrraedd Henffordd rywbryd yn ystod y dydd fory os bydd lwc, ac rwy inne am fod yn Henffordd o'u blaene nhw i ofalu fod yna gae digon mowr i'w cadw nhw dros nos.'

'Y'ch chi'n gwbod rhywbeth o hanes y ras 'ma, Rhys Parri?'

'Mi wn i mai ar stad Iarll Bonham mae hi'n cael ei chynnal. Rwy'n meddwl 'i fod e'n trefnu rasys mawr ddwywaith y flwyddyn.'

Yna daeth llais yr osler bach o'r gornel.

'Mi fydda i'n mynd iddi bob blwyddyn. Mae 'na gan gini o wobr i'r ceffyl sy'n ennill.'

'Beth?' Edrychodd Twm yn syn arno.

'Mwy na hynny ambell waith, mae'n dibynnu faint o geffylau sy'n rhedeg yn y ras.'

'Faint sy'n arfer rhedeg?'

'Tuag ugain, mwy neu lai. Rwy i wedi ennill y ras ddwywaith.'

'Ti?' meddai Rhys Parri.

'Do, roeddwn i'n arfer marchogaeth ceffylau Iarll Bonham 'i hunan, ond . . .'

'Ond beth?' gofynnodd Rhys.

'Y tro diwetha fe ges i 'ngorfodi i golli'r ras.'

'Dy orfodi i golli? Beth wyt ti'n feddwl?'

'Roedd 'na ddynion wedi rhoi arian mawr ar geffyl arall, a chyn y ras fe ddaethon nhw ata i . . . a 'mygwth i . . . gan ddweud y bydden nhw'n gwneud niwed i fi os byddwn i'n ennill. Ches i byth farchogaeth dros Iarll Bonham wedyn.'

Edrychodd ei ddau wrandawr yn syn ar y dyn bach, ond roedd e'n edrych i'r tân erbyn hyn.

'O ble mae'r arian 'ma'n dod i dalu can gini i'r ceffyl sy'n ennill?' gofynnodd Twm ymhen tipyn.

'Mae pob un sy'n rhedeg ceffyl yn y ras yn gorfod talu pum gini,' meddai'r osler.

'Beth? Wel dyna'i diwedd hi wedi'r cwbwl 'te!' meddai Twm gan eistedd i lawr yn ei gadair.

'Na, mi fydda i'n gofalu am y rhan yna o'r fusnes, Twm,' meddai Rhys.

'Dim o gwbwl, Rhys Parri, chewch chi ddim.'

'Mae gan y gaseg ddu siawns dda o ennill,' meddai'r osler.

'Sut wyt ti'n gwbod?' gofynnodd Twm.

Gwenodd yr osler yng ngolau'r tân.

'Gewch chi weld fory yn Henffordd – fe fydd pawb yn gofyn i Wilf yr osler pwy sy'n mynd i ennill. Ma' nhw'n gwbod 'mod i'n deall ceffyle. Mi fydda i'n rhoi sofren o fet ar eich caseg chi fory, os bydd hi'n rhedeg.'

Pennod 3

Drannoeth, roedd tref Henffordd yn llawn pobl, a'r rheiny mewn hwyliau da bob un, o glywed y gweiddi a'r chwerthin a'r miri oedd yn mynd ymlaen yn y strydoedd llawn. Roedd y siopau parchus i gyd wedi cau am y dydd, ond ar y palmant ar ochr y brif ffordd roedd dwsinau o stondinau o bob math, yn gwerthu ffrwythau, cacennau, melysion a nwyddau rhad. Wrth ambell un o'r stondinau hyn fe allai dyn newynog brynu basnaid o gawl am ddimai, wrth un arall fe allai bachgen ifanc brynu ruban lliwgar i'w gariad. Ac roedd perchenogion y stondinau hyn yn gweiddi nerth eu cegau drwy'r amser, i ychwanegu at y sŵn oedd yn strydoedd Henffordd y diwrnod hwnnw.

Doedd y ras fawr ddim i'w rhedeg tan dri o'r gloch yn y prynhawn, ond cyn hynny roedd arddangosfa wartheg a cheffylau gwedd tenantiaid Iarll Bonham. Hefyd roedd dwy ras arall, un i geffylau tenantiaid yr iarll a'r llall i geffylau wedi eu geni a'u magu yn Henffordd.

Daeth Rhys Parri a Twm i'r dref ymhell cyn

cinio a sylwodd Twm fod mwy nag un yn llygadu'r gaseg ddu wrth iddi gerdded yn anesmwyth ac yn benuchel trwy'r strydoedd swnllyd. Roedd y dorf mor drwchus mewn ambell stryd gul nes bod rhaid i'r gaseg wthio'i ffordd drwodd, bron, ac roedd Twm yn ofni yn ei galon y byddai'r sŵn a'r cynnwrf yn gwneud iddi wylltio. O'r diwedd cyrhaeddodd e a Rhys ran dawelach o'r dref.

'Gwell i ni edrych am stabal i'r ceffylau, Twm,' meddai Rhys. Ond er iddyn nhw fynd o dafarn i dafarn i chwilio, roedd pob stabl yn llawn. Yna dyma nhw'n gweld Wilf yr osler yn sefyll ar gornel y stryd. Doedd Wilf ddim wedi newid o'i ddillad ers y diwrnod cynt ac roedd y gwellt yn glynu wrth y brethyn o hyd. Ond roedd ganddo het newydd ar ei ben – het galed, loyw.

Wedi holi, dywedodd Wilf ei fod yn gwybod am le i gadw'r ceffylau ac arweiniodd nhw trwy'r strydoedd cul nes dod at dafarn fach lân yr olwg o'r enw The Three Fishermen, i lawr yn ymyl yr afon. Roedd Wilf yn adnabod yr osler yno ac addawodd hwnnw y byddai'r ceffylau'n cael pob gofal ganddo. Wedi mynd i mewn i'r stabl gwelodd Twm fod tri ceffyl yno'n barod ac mai dim ond dwy stâl wag oedd ar ôl. Teimlai'n falch o hyn gan ei fod yn gwybod na fyddai rhagor o geffylau'n dod i mewn i darfu ar y gaseg.

Wedi rhoi'r ceffylau'n ddiogel aeth Twm a Rhys, a Wilf gyda nhw, i gerdded tipyn o gwmpas y dref, yn bennaf er mwyn i Twm gael ei gweld, gan nad oedd e wedi bod yno erioed o'r blaen.

'Hy!' meddai Twm, wrth wthio'i ffordd trwy'r dyrfa, 'rwy'n falch ca'l gwared ar y gaseg am dipyn; ro'n i'n ofni yn fy nghalon y bydde hi'n cicio rhywun.'

Roedd yr osler bach yn cerdded ychydig gamau o'u blaenau, a nawr ac yn y man byddai rhyw hen ffrind yn cydio'n ei fraich ac yn holi,

'Pwy sy'n mynd â hi heddi, Wilf?'

neu

'Ar p'un ohonyn nhw mae dy arian di'n mynd heddi, Wilf?'

A phob tro atebai'r dyn bach, gan droi at Twm: 'Rwy'n betio sofren felen mai caseg ddu'r gŵr bonheddig 'ma fydd y cynta adre, gewch chi weld.'

Wedyn byddai pawb eisiau gwybod enw'r gaseg, o ble roedd hi'n dod, sawl ras oedd hi wedi ei hennill o'r blaen? Ond wedi ateb y cwestiynau hyn sawl gwaith fe flinodd Twm a dywedodd wrth yr osler i beidio â chyfeirio ato fel perchennog y gaseg. Ond cyn bo hir cafodd e a Rhys Parri eu gwahanu oddi wrth yr osler gan y dyrfa fawr, a chawson nhw lonydd i weld y dref heb orfod ateb rhagor o gwestiynau.

Pennod 4

Mewn stafell gefn yng ngwesty'r Golden Eagle yn un o strydoedd mwyaf prysur Henffordd roedd dau ŵr bonheddig yn eistedd yn yfed gwin. Un ohonyn nhw oedd Mr Richard Olifer, perchennog y Grey Duke, ac roedd e'n edrych yn fwy trwsiadus a ffasiynol ei wisg nag yr oedd y noson cynt yn y Black Horse.

Yn eistedd gydag e roedd gŵr bonheddig oedd yn edrych dipyn yn hŷn, ond a oedd, a dweud y gwir, rai blynyddoedd yn iau. Ei enw oedd Syr Henry Mortimer a oedd unwaith yn dal swydd bwysig yn Swyddfa'r Llynges yn Llundain, ond a oedd wedi ei daflu allan o'r swydd honno am fod swm o arian roedd e'n gyfrifol amdano wedi mynd ar goll. Ac er nad aeth neb ati i brofi dim, roedd pawb yn credu mai fe oedd wedi gwario'r arian ar gardiau a cheffylau.

'Wyt ti'n gweld, Richard,' meddai Syr Henry, 'rwy i mewn dyled mawr i'r benthyciwr arian yn Henffordd. Dwi ddim yn gwybod erbyn hyn faint sydd arna i iddo. Mae e'n pwyso am gael 'i dalu ers wythnosau bellach. Ac rwy mewn cymaint o ddyled yn y dre honno erbyn hyn fel na alla i ddim dangos fy wyneb ar y stryd; ac os yw'r Duke yn mynd i golli'r ras yma heddi, mi fydda i yng ngharchar y Fleet yn Llundain cyn diwedd yr wythnos.'

'Syr Henry bach,' meddai Richard Olifer gan wenu, 'ry'ch chi'n mynd i gwrdd â gofid. Mae'r Duke yn mynd i ennill. Mae e wedi curo gwell ceffylau na'r rhai sy'n rhedeg yn 'i erbyn e heddi. Felly syr, peidiwch â phoeni. Erbyn pedwar o'r gloch y prynhawn 'ma fe fyddwch chi'n gallu talu'ch holl ddyledion, syr, ac yn gallu dangos eich wyneb ble mynnoch chi.'

'Gobeithio hynny, wir. Cofia – rwy i wedi benthyca dau gan gini oddi wrth un o siopwyr y dre i'w rhoi ar y Duke. Dyn a ŵyr ble mae'r siopwyr 'ma'n cael yr holl arian.

Chwarddodd Richard Olifer.

'Prynu'n rhad a gwerthu'n ddrud, Syr Henry, dyna'u cyfrinach nhw.'

Ar y gair agorodd y drws a daeth pen hanner moel i'r golwg. Trodd Syr Henry at y drws.

'Quinn!' gwaeddodd. 'Pam na wnei di guro'r drws cyn 'i agor e? Beth wyt ti eisiau? Y tipyn gwas sy gen i yw hwn, Richard.'

Cododd Richard Olifer ar ei draed.

'Wel, Syr Henry, mae'n rhaid i mi fynd. Ond byddwch yn esmwyth eich meddwl, syr – fydd y Grey Duke ddim yn debyg o'ch siomi chi'r prynhawn yma.'

'Gobeithio hynny, wir. Mi fydda i yno'n gwylio'r ras, wrth gwrs.'

Ar ôl i Richard Olifer fynd, trodd Syr Henry at ei was ac edrych yn gas arno.

'Wel, beth sy'r gwalch?' gofynnodd.

'Rwy newydd weld Wilf bach yr osler yn y dre, syr.'

'O ie. A beth oedd gydag e i'w ddweud?'

'Mae e'n dweud mai rhyw gaseg ddu o Gymru sy'n mynd i ennill heddi.'

'Beth!' gwaeddodd Syr Henry'n gyffrous. 'Ydy Wilf yn dweud hynna?'

Cododd ar ei draed a cherdded yn wyllt at y lle tân.

'Ond do'n i ddim yn gwybod bod caseg ddu'n rhedeg . . .'

'Mae'n debyg 'i bod hi wedi dod i mewn ar y funud ola, syr. Rwy i wedi clywed sawl un yn sôn fod yna gaseg ddu hardd wedi cyrraedd y dre bore 'ma.'

'Ond Quinn, dyw hi ddim yn mynd i ennill! Mae Richard Olifer newydd ddweud bod y Duke yn saff ohoni.'

'Wel, rwy wedi clywed bod Wilf yn betio ar y gaseg ddu, syr.'

'Arswyd y byd, dyma newyddion ofnadwy! Pwy sy'n marchogaeth y gaseg ddu?'

'Rwy i wedi clywed mai'r perchennog sy am wneud, syr.'

'Pwy yw'r perchennog?'

Ysgydwodd y gwas ei ben.

'Dim syniad, syr. Ond rwy i wedi'i weld e'n cerdded o gwmpas y dre beth amser yn ôl gyda Wilf; a weles i e funud yn ôl hefyd, ond doedd Wilf ddim gydag e.'

Edrychodd Syr Henry'n wyllt o gwmpas y stafell, yna'n ôl ar ei was.

'Quinn,' meddai rhwng ei ddannedd, 'fe fydd rhaid i ni ofalu na fydd y gaseg ddu'n rhedeg yn y ras prynhawn 'ma!'

Pennod 5

Cerddodd Twm yn araf yn ôl tua'r gwesty ar lan yr afon lle roedd y gaseg. Ar ôl bod gyda Rhys Parri'n gweld stiward Iarll Bonham a thalu'r pum gini oedd yn ddyledus cyn y gallai'r gaseg redeg yn y ras, dywedodd Rhys ei bod yn bryd iddo fynd i weld perchennog y cae mawr yn ymyl y dref, lle roedd e'n bwriadu troi'r gwartheg ar ôl cyrraedd Henffordd. Gwrthododd Twm fynd gydag e gan ei fod, yn ddistaw bach, yn poeni am y gaseg. Er iddo deimlo rhyddhad mawr pan lwyddodd i gael stabl iddi, er mwyn osgoi'r tyrfaoedd yn y dref, allai e ddim teimlo'n hapus a hithau mewn stabl ddierth heb neb yn edrych ar ei hôl ond osler o Sais.

Felly ffarweliodd â Rhys ar ôl cytuno i gwrdd â'i gilydd yn y Three Fishermen am hanner awr wedi dau.

Dim ond un o'r gloch yn y prynhawn oedd hi, ac felly roedd digon o amser cyn y ras. Cerddodd Twm yn hamddenol, gan aros nawr ac yn y man i edrych yn ffenestri'r siopau. Aeth am dro o gwmpas y farchnad wedyn, ac o flaen yr eglwys. Ond o dipyn i beth gadawodd y strydoedd poblog, swnllyd a dechrau cerdded trwy'r ffyrdd cul i gyfeiriad yr afon. Yn y strydoedd cul, troellog hyn roedd ffenestri llofft y tai'n edrych fel pe baen nhw ar fin cwrdd â'i gilydd ar draws y ffordd.

Yn sydyn sylweddolodd Twm fod dau ddyn yn ei ddilyn. Cerddodd yn fwy araf eto, er mwyn iddyn nhw gael cyfle i fynd heibio, ond arafodd y ddau ddyn hefyd, gan gadw'r un pellter oddi wrtho. Rhoddodd Twm ei law ar ei wasgod lle roedd perlau Ledi Eluned. Gallai eu teimlo o dan ei fysedd.

Daeth Twm allan o un stryd gul ac i mewn i'r llall. Efallai y byddai'r ddau ddyn yn mynd ryw ffordd arall. Ond na, roedden nhw'n ei ddilyn o hyd.

Dechreuodd Twm deimlo'n gynhyrfus. Daeth i gornel y stryd a throdd i'r dde. Daeth at ddrws oedd ar gau a'i wasgu ei hun yn ei erbyn. Clywodd sŵn traed y ddau ddyn yn nesáu at y gornel. Roedd Twm yn sefyll ar flaenau ei draed yn disgwyl i'r ddau ddod tuag ato.

Ond aeth y ddau ddyn ymlaen i gyfeiriad yr afon.

Tynnodd Twm anadl hir o ryddhad, ac wedi aros am tipyn, aeth ymlaen i'r un cyfeiriad.

Doedd dim sôn am y ddau ddyn nawr, yn wir doedd dim enaid byw i'w weld yn y stryd.

Clywodd y cloc yn nhŵr yr eglwys yn taro. Hanner awr wedi un! Ymhen awr a hanner byddai e a'r gaseg yn herio rhai o geffylau gorau Lloegr. Dechreuodd gerdded yn gynt.

Yna disgynnodd rhywbeth trwm ar gefn ei wddf a fflachiodd gwreichion o boen trwy ei ymennydd. Teimlodd ei goesau'n rhoi odano ac wrth syrthio i'r llawr gwelodd ddyn wyneb llwyd mewn dillad du yn edrych i lawr arno. Yna cafodd ergyd arall ar ei ben ac aeth yn nos arno'n sydyn.

Pennod 6

'Mae'n chwarter i dri! Ble gall e fod?' Roedd Rhys Parri'n cerdded yn ôl ac ymlaen ar lawr cegin y Three Fishermen fel llew wedi'i ddal. A'i drwyn yn y ffenest yn edrych allan i'r stryd roedd Wilf bach yr osler.

'Mae e wedi colli'r ffordd yn strydoedd bach, cul y dre 'ma, dyna sy wedi digwydd,' meddai Rhys, gan ei ateb ei hunan. Roedd tafarnwr y Three Fishermen yn sefyll yn y drws yn edrych yn hollol ddigyffro ar Rhys yn cerdded o gwmpas.

'Falle 'i fod e wedi mynd o'ch blaen chi . . .' awgrymodd.

Safodd Rhys ar ganol y llawr.

'Mynd i ble, ddyn?' gofynnodd.

'I . . . i'r plas.'

'Ond mae'r gaseg yn y stabal!' gwaeddodd Rhys.

'Falle 'i fod e wedi mynd hebddi?'

'Ond mae'r gaseg yn rhedeg yn y ras, ddyn!'

'O,' meddai'r tafarnwr.

Trodd Wilf oddi wrth y ffenest.

'Ddaw e ddim, Mr Parri,' meddai yn ei lais main.

Am y tro cyntaf dechreuodd Rhys feddwl am y posibilrwydd hynny.

'Ond mae'n rhaid iddo ddod. Mae e wedi aros yn Henffordd ar ei ffordd i Lunden i redeg yn y ras. Rydyn ni wedi talu'r pum gini!'

'Ond fe fydd y ras yn dechre mewn llai na chwarter awr; fe fydd e'n rhy hwyr . . .'

Eisteddodd Rhys Parri ar y sgiw.

'Wel, dyna hi ar ben 'te. Ro'n inne wedi gosod bet ar y gaseg.'

'A finne hefyd,' meddai'r osler.

Roedd distawrwydd trwm yn y gegin am funud. Clustfeiniodd Rhys am sŵn troed Twm, ond roedd pobman fel y bedd. Roedd pawb oedd yn gallu cerdded wedi mynd i weld y ras fawr.

'Fe allwn i farchogaeth y gaseg,' meddai'r osler bach yn dawel.

Cododd y porthmon ar ei draed ac edrychodd i lawr i fyw llygad y dyn pitw. Yna ysgydwodd ei ben.

'Na, dim ond Twm all 'i thrin hi.'

'Fe alla i ei thrin hi,' meddai'r osler.

'Diawch!' gwaeddodd y porthmon. Ond ysgydwodd ei ben wedyn. 'Na. Beth bynnag, mae'n rhy hwyr nawr . . .'

'Na, mi fedrwn i fod yno mewn pum munud ond i chi ddweud y gair – dyw hi ddim yn bell.'

'Clyw nawr,' meddai Rhys, 'yn un peth mi fydde'r gaseg wedi dy daflu di cyn dy fod di hanner ffordd, a pheth arall – alla i ddim rhoi caniatâd i ti. Nawr gad fi'n llonydd!'

Trodd yr osler i ffwrdd.

'Fe fydd Mr Olifer yn lwcus nad yw'r gaseg o Gymru ddim yn rhedeg,' meddai.

Taflodd Rhys lygad ar y cloc ar wal y dafarn. Roedd y bysedd yn symud yn beryglus o agos i dri o'r gloch. Dechreuodd regi'n uchel nes denu sylw'r tafarnwr cysglyd.

Yna trodd y porthmon i edrych ar yr osler.

'Ydy hi'n rhy hwyr?' gofynnodd.

'Na'dy, dyw'r ras byth yn dechre yn union am dri.'

'O'r gore, fe gaiff y gaseg redeg. Ond cofia – os digwyddith unrhyw niwed iddi, fe dorra i bob asgwrn yn dy gorff di â'r ddwy law 'ma. Pam rwyt ti'n aros fan'na? Cer i roi cyfrwy arni, y ffŵl!'

Cyn pen dwy funud roedd y gaseg allan ar ganol iard y dafarn wedi ei chyfrwyo, a chydag un naid ysgafn disgynnodd y dyn bach yn y cyfrwy.

'Brysia nawr, a bydd yn ofalus,' gwaeddodd Rhys o'r drws. 'Mi fydda i'n dod ar dy ôl di cyn gynted ag y galla i.'

Ond roedd y gaseg, a'r dyn bach ar ei chefn, wedi mynd.

Pennod 7

Daeth Twm ato'i hunan yn araf. Am amser gorweddodd heb symud gewyn. Sylweddolodd yn raddol ei fod yn gorwedd ar ei wyneb ar lawr budr, bawlyd. Gallai glywed sŵn dŵr heb fod ymhell a meddyliodd ei fod yn rhywle'n agos i'r afon.

Yna cofiodd am y Three Fishermen. Roedd hwnnw'n agos i'r afon. Beth oedd wedi digwydd iddo?

Mewn fflach cofiodd am y ras, ac am y dyn â'r dillad du a'r wyneb llwyd. Pwy oedd e? Pam oedd e wedi ymosod arno? Faint o'r gloch oedd hi?

Roedd ar fin ceisio codi ar ei draed pan glywodd lais yn ei ymyl yn dweud, 'Mae e'n cysgu'n dawel, Quinn.'

Yna llais arall.

'Ydy, ac mae bron yn dri o'r gloch. Mae'n debyg na fydd dim eisie bonclust arall arno fe.'

'Na fydd,' atebodd y llais cyntaf, 'pan fydd cloc yr eglwys yn taro tri o'r gloch, fe allwn ni fynd a'i adel e. Rwy i am weld diwedd y ras beth bynnag.'

'Wrth gwrs, 'i gadw fe'n dawel nes bydde'r ras yn dechre o'dd ein gwaith ni. Unwaith bydd hi'n taro tri fe allwn ni 'i baglu hi.'

Ond cyn iddo ddweud gair pellach dechreuodd cloc yr eglwys yn y pellter daro tri.

'Tyrd, gad i ni fynd.'

A chlywodd Twm sŵn traed yn cerdded i ffwrdd, yna drws yn cau.

Cododd ar ei eistedd ac ar unwaith saethodd poen trwy ei ben. Edrychodd o gwmpas. Roedd mewn rhyw hen sgubor neu warws wag, ond bod llawer o annibendod ynddi. Cododd ar ei draed ac aeth yn sigledig am y drws. Roedd wedi ei gau, ond heb ei gloi.

Agorodd y drws ac ar unwaith trawodd golau'r haul ei lygaid, ac allai e ddim gweld dim am eiliad. Ond wedi cyfarwyddo â golau dydd unwaith eto sylwodd fod hen ŵr yn gweithio mewn gardd fach yr ochr arall i'r ffordd. Aeth Twm draw ato.

'Prynhawn da,' meddai, 'allwch chi . . ?'

'Ho-ho!' meddai'r hen ŵr gan adael ei waith a dod yn nes at Twm. 'Mae'n dda gen i weld un sy ddim wedi mynd i weld y ceffyle. Ma' pobol y dre 'ma wedi mynd yn ddwl – rasys ceffyle a phob math o ddwli. Fydde tipyn gwell iddyn nhw . . .'

Torrodd Twm ar ei draws yn ddiamynedd.

'Allwch chi ddweud wrtha i sut mae mynd i'r Three Fishermen, os gwelwch yn dda?'

'Wrth gwrs y galla i, mae e yn ymyl. I'r Three Fishermen y bydda i'n mynd i gael peint o gwrw ambell waith − dim ond ambell waith, cofiwch. Os arhoswch chi i fi ga'l gorffen fan hyn . . .'

'Rwy am fynd yno nawr,' meddai Twm.

'O'r gore, o'r gore, does dim eisie colli amynedd. Ewch chi draw ar hyd y stryd yma, wedyn troi i'r chwith a dyna chi'n mynd lawr ar eich pen i'r Three Fishermen.'

'Diolch,' meddai Twm a dechreuodd redeg.

Cyrhaeddodd y dafarn yn ddidrafferth ac aeth yn syth i'r stabl. Gwelodd ar unwaith nad oedd y gaseg ddu na cheffyl Rhys Parri yno.

Aeth i mewn i'r dafarn a gwaeddodd dros y lle sawl gwaith, ond ddaeth yr un enaid byw i'r golwg.

Rhedodd yn wyllt yn ôl i fyny'r stryd at yr hen ŵr yn yr ardd ac wedi holi a gorfod aros yn amyneddgar am ateb, fe gafodd wybod ym mha gyfeiriad roedd stad Iarll Bonham.

Wedi rhedeg i'r cyfeiriad hwnnw am dipyn, trwy'r strydoedd bach mwyaf cymhleth, meddyliodd yn siŵr ei fod wedi colli'r ffordd. Ond ymhen tipyn gallai glywed sŵn gweiddi pell ac aeth i'r cyfeiriad hwnnw. Daeth y sŵn yn gryfach o hyd a sylweddolodd ei fod ar y ffordd iawn.

Pennod 8

Ceisiodd Twm wthio'i ffordd trwy'r dyrfa fawr o bobl oedd yn ei rwystro ar bob ochr. Roedd yn ddigon tal i allu gweld dros bennau'r rhan fwyaf o'r gwŷr a'r gwragedd, a gallai weld caeau gwyrdd yn ymestyn i'r pellter. Yna clywodd sŵn rhythmig, trwm yn dod yn nes a sylweddolodd mai sŵn carnau ceffylau'n rhedeg ar ras oedd y sŵn. Clywodd y dyrfa'n gweiddi'n uwch. Gwthiodd yn galetach, ond cyn iddo gyrraedd blaen y dorf clywodd y ceffylau'n rhuthro heibio. Yna clywodd lais yn gweiddi yn Gymraeg heb fod ymhell oddi wrtho.

'Gad iddi fynd! Gad iddi fynd!'

Y porthmon!

Symudodd Twm ddau neu dri dyn tew o'r ffordd yn ddiseremoni a daeth i ochr Rhys Parri, oedd yn sefyll yn y rhes flaen a'i wyneb yn goch fel tân.

'Rhys Parri!'

'Twm! Ble wyt ti wedi bod? Beth ddigwydd-odd i ti?'

'Anghofiwch am hynny nawr, Rhys Parri. Ble mae'r gaseg?'

'Mae'n rhedeg, Twm! 'Co hi fan draw!'

'Yn rhedeg? Pwy sy ar 'i chefen hi 'te?'

'Wilf — Wilf yr osler . . . doedd dim sôn amdanat ti yn un man.'

Ond doedd Twm ddim yn gwrando. Roedd ei lygaid yn dilyn y ceffylau. Gwelodd fod tipyn o bellter rhwng y ceffyl cyntaf a'r olaf ac roedd y gaseg ddu rywle tua'r canol.

'Mae hi 'mhell ar ôl, Rhys Parri!'

'Ydy. Nawr o'n i'n gweiddi ar y ffŵl 'na am roi ffrwyn iddi.'

'Faint sy ar ôl o'r ras?' gofynnodd Twm.

'Mae'r cylch 'ma weli di o dy fla'n yn filltir, mae'n debyg, ac ma' rhaid i'r ceffylau fynd o'i gwmpas dair gwaith.'

'Sawl gwaith ma' nhw wedi mynd yn barod?'

'Unwaith. Roedd y ras yn hwyr yn dechre.'

'O, mae gobaith eto 'te,' meddai Twm, gan droi i edrych o'i gwmpas.

Heb fod ymhell o'r fan lle ro'n nhw'n sefyll sylwodd fod yna fath o lwyfan mawr wedi ei godi, ac ar hwnnw roedd nifer o foneddigion, yn ddynion ac yn ferched, yn gwylio'r ras.

'Y cynta heibio fan'co'r trydydd tro fydd yn ennill y ras, Twm. Mae Iarll Bonham ar y llwyfan 'na.'

Ond roedd llygaid Twm yn ôl ar y ceffylau. Er ei bod ymhell oddi wrtho, gallai weld fod y gaseg yn rhedeg yn llyfn ac yn rhwydd; ond roedd hi'n rhy bell ar ôl y gweddill i fod wrth ei fodd. Fe deimlai mor gynhyrfus fel nad oedd e'n gallu cadw'i ddwylo na'i draed yn llonydd, ac fe fyddai'n rhoi'r byd y funud honno am gael bod ar gefn y gaseg, yn ei hannog ymlaen.

Aeth y ceffylau'n gyflym o gwmpas y cylch a chyn pen fawr o dro gwelodd Twm geffyl llwyd, anferth yn taranu tuag atyn nhw a'i wddf yn hir a'i ffroenau'n llydan-agored.

Yna roedd wedi rhuthro heibio a phedwar neu bump o geffylau eraill yn dynn wrth ei sodlau.

'Nefoedd Fawr! Roedd y llwyd yn mynd, Twm!' gwaeddodd Rhys Parri.

'Y Grey Duke,' meddai Twm.

Yna gwelodd y gaseg ddu'n dod tuag ato a'r osler fel botwm ar ei chefn. Am un eiliad cafodd Twm olwg ar wyneb y dyn bach. Roedd ei lygaid yn fflachio a'i ddannedd i gyd yn y golwg. Yna roedd wedi mynd heibio ar ôl y lleill. Ond cyn iddo fynd roedd Twm wedi sylwi ar rywbeth arall.

'Roedd e'n dala'r ffrwyn yn dynn, Rhys Parri! Sylwoch chi?'

'Do, be sy'n bod arno fe, dwed?'

'Mae e'n 'i dala hi'n ôl.'

Dechreuodd Twm rifo'r ceffylau oedd o flaen y gaseg. Tri, pedwar, pump, chwech, saith . . . wyth! Roedd hi'n rhy bell ar ôl y lleill.

'Mae'r llwyd yn ennill tir, Twm!' gwaeddodd Rhys. Ac yn wir roedd y Grey Duke wedi agor bwlch go fawr rhyngddo a'r gweddill. Roedd enw'r Duke ar wefusau pawb o'u cwmpas nawr.

Gwelodd Twm ddau o'r ceffylau, oedd o flaen y gaseg, yn cloffi ac yn syrthio'n ôl. Ond roedd pump o'i blaen o hyd, heb sôn am y ceffyl llwyd, oedd yn glir ar y blaen.

'Mae'r Duke wedi troi am adre,' gwaeddodd Rhys. 'Dim ond hanner milltir sy ar ôl o'r ras!'

Allai Twm ddim tynnu ei lygaid oddi ar y gaseg ddu.

'Does dim mwy na chwarter milltir gan y llwyd i fynd!' gwaeddodd Rhys.

Yna gwelodd Twm yr osler bach yn plygu'n is ar gefn y gaseg. Nawr roedd ei ben o'r golwg yn ei mwng, oedd yn chwifio yn y gwynt.

'Mae e wedi rhoi 'i phen iddi, Rhys Parri!' gwaeddodd.

'Fe ddyle fod wedi gneud hynny cyn hyn!' gwaeddodd Rhys yn ôl.

Yna gwelodd Twm y gaseg yn symud heibio i ddau geffyl arall. Roedd hi'n mynd fel y gwynt.

'Yr arswyd, mae hi'n mynd nawr, Twm!' meddai Rhys.

Allai Twm ddim dweud gair. Fe deimlai lwmp

yn ei wddf wrth wylio'r gaseg brydferth yn gwneud ei hymdrech fawr.

Daeth y gaseg yn 'i blaen, yn rhedeg o ddifri calon, a gyda'r fath gyflymdra fel y distawodd y gweiddi croch. Roedd pawb yn teimlo bod rhywbeth cyffrous yn y ffordd roedd hi'n rhedeg.

Dim ond y Grey Duke oedd o'i blaen, ac roedd hi'n cau'r bwlch rhyngddi a hwnnw'n gyflym.

Roedd Twm yn gwybod erbyn hyn yn ei galon ei bod hi'n mynd i ennill, yn gwybod y byddai'r osler bach yn galw arni am un ymdrech olaf i fynd heibio i'r ceffyl llwyd, ac y roedd yn ei hadnabod yn ddigon da i wybod y byddai'r gwaed bach yn ei gwythiennau yn ateb yr alwad.

Yn y diwedd aeth y gaseg heibio i Twm ugain llath o flaen y Grey Duke, ond prin y gwelodd Twm hi'n mynd gan fod dagrau o falchder yn llenwi ei lygaid. Trodd at Rhys Parri ac roedd y dagrau'n rhedeg i lawr dros fochau coch hwnnw hefyd.

Pennod 9

Dyw hi ddim yn hawdd disgrifio popeth a ddigwyddodd wedyn. Aeth y dyrfa fawr yn wallgo. Roedd y rhan fwyaf o'r gwylwyr wedi rhoi eu harian ar y Grey Duke ac roedd llawer o wynebau hir i'w gweld o gwmpas y maes. Ond roedd llawer heb fetio ar un o'r ceffylau, ac roedd y rheiny'n canmol y ffordd roedd y gaseg ddu wedi dod ar y diwedd i herio'r ceffyl llwyd.

Aeth Twm a'r porthmon i edrych am yr osler a'r gaseg, a daethon nhw o hyd iddyn nhw ymhen tipyn ar ôl gwthio'u ffordd trwy'r dorf oedd o'u cwmpas, yn edmygu'r gaseg.

Pan dorrodd Twm drwy'r cylch roedd yr osler yn ateb cwestiynau o'r dorf.

'Oeddet ti'n meddwl y byddet ti'n ennill?'

'Wrth gwrs − o'r dechre.'

'Roeddet ti 'mhell ar ôl.'

'Fi oedd yn 'i dal hi'n ôl.'

'Pwy yw'r perchennog 'te, Wilf?'

'Gŵr bonheddig o Gymru. A! Dyma fe'n dod nawr. Wel, syr, welsoch chi'r ras?'

Aeth Twm yn syth at y gaseg a thynnu ei law dros ei gwddf, oedd yn wlyb domen gan chwys.

'Do,' meddai wedyn, 'beth oeddet ti'n feddwl ohoni?'

'Mae hi'n well nag oeddwn i'n meddwl, syr.'

'Wir? Ond fe ddwedest ti y bydde hi'n ennill . . .'

'Do'n i ddim yn disgwl iddi ennill mor hawdd. Rwy i wedi marchogaeth ceffyle gore Iarll Bonham, ond weles i erioed geffyl yn rhedeg mor gyflym ar ddiwedd ras dair milltir.'

Yna gwaeddodd rhywun, 'Mae'r iarll yn holi am berchennog y gaseg ddu!'

'Twm,' meddai'r porthmon, 'fe fydd rhaid i ti fynd i fyny i'r llwyfan . . .'

'I beth?'

'I gael eich cyflwyno i'r iarll, syr,' meddai'r osler, 'mae'n arferiad . . . ac i ga'l y wobr, wrth gwrs.'

Pan ddringodd Twm i'r llwyfan sylweddolodd fod nifer fawr o foneddigion mewn dillad lliwgar, yn wragedd, merched a dynion o bob oed, yn edrych yn syn arno. Edrych braidd yn wawdlyd ar ei ddillad brethyn cartref oedd llawer ohonyn nhw, ond roedd rhai o ferched bonheddig, hardd Henffordd yn edrych hefyd ar ei gorff cyhyrog ac ar ei wyneb llwyd, golygus, a'r cudyn o wallt du yn hongian dros ei dalcen.

Os oedd swildod yn poeni Twm y funud honno doedd ei ymddygiad ddim yn dangos hynny. Roedd e'n sefyll ar y llwyfan a'i gefn yn syth a'i lygaid du'n edrych yn ofalus ar y gwahanol wynebau o'i gwmpas.

Cafodd ei arwain at ŵr bonheddig, gwelw â gwallt gwyn oedd yn eistedd ar gadair, a synhwyrodd Twm mai hwn oedd yr iarll.

'Maddeuwch i mi am beidio â chodi,' meddai'r iarll mewn llais mwyn. 'Rwy'n methu . . . effaith hen ddamwain . . . eisteddwch.'

Gwelodd Twm fod cadair wag yn ei ymyl ac eisteddodd ynddi.

'Ras ardderchog,' meddai'r iarll. 'Doedd neb yn disgwyl iddi orffen fel y gwnaeth hi. Mae gennych chi gaseg eithriadol . . . ry'ch chi'n dod o Gymru, rwy'n deall . . . ga i ofyn o ble?'

'Sir Aberteifi, syr,' meddai Twm, 'lle bach o'r enw Tregaron; mae'n debyg nad y'ch chi wedi clywed am y lle?'

'Do'n wir, mae gen i hen ffrind yn byw yno; Syr Harri Prys. Ry'ch chi'n 'i nabod e, wrth gwrs?'

'Mae Syr Harri wedi marw ers mwy na dwy flynedd.'

'Dy'ch chi ddim yn dweud! Wel, wel, mae'n ddrwg gen i glywed. Fe enillodd caseg Syr Harri y ras yma flynyddoedd yn ôl . . . arhoswch chi, beth oedd 'i henw hi? Seren? Seren y Dwyrain?'

'Merch Seren y Dwyrain yw'r gaseg a enillodd heddi, syr.'

Gwenodd yr iarll.

'Ro'n i'n amau. Rwy'n cofio'r Seren yn dda . . . un ddu oedd hithe hefyd . . . mae'r brid wedi dod o Arabia?'

'Ry'ch chi'n iawn, syr.'

Trodd yr iarll at ŵr bonheddig oedd yn eistedd yr ochr arall iddo.

'Philip, rwyt ti'n cofio Syr Harri Prys? Maddeuwch i mi,' meddai gan droi at Twm, 'dyma Syr Philip Townsend, ffrind i mi.'

'Nabod Syr Harri?' meddai Syr Philip. 'Ro'n ni'n ffrindiau mynwesol?'

'Mae'n ddrwg gen i ddweud,' meddai'r iarll, 'rwy i newydd gael gwybod gan y gŵr ifanc 'ma . . . Mr . . ?' Edrychodd yr iarll mewn penbleth ar Twm.

'Twm, syr,' meddai hwnnw.

Cododd yr iarll ei aeliau.

'Mr Twm? Maddeuwch i mi . . . ai dyna'ch enw chi?'

'Ie, syr, Twm Siôn Cati.'

'Twm . . . Siôn . . . Cati! Rhaid i chi faddau i mi os yw'r enw Cymraeg yn swnio . . . y . . . braidd yn od, ond mae'n debyg 'i fod e'n enw digon cyfarwydd yng Nghymru . . . ac mai arna i mae'r bai.'

Gwenodd Twm a theimlodd ei galon yn cynhesu at y gŵr bonheddig, caredig yma.

'Na, syr, dw i ddim yn meddwl ei fod e'n enw cyffredin.'

'A! Wel, Philip,' meddai'r iarll gan droi'n ôl at ei gyfaill, 'mae Twm Siôn Cati newydd roi gwybod i mi fod Syr Harri wedi marw ers dwy flynedd.'

'Wel, wel!' Edrychodd yr hen ŵr bonheddig yn dawel draw dros gaeau gwyrdd y stad. Yna trodd at yr iarll.

'Roedd e'n ffrind mawr i mi, Paul, flynyddoedd yn ôl. Wel, wel, mae nifer ein ffrindiau ni'n mynd yn llai o flwyddyn i flwyddyn.'

Rhoddodd yr iarll ei law wen, fain ar ei ben-glin.

Ond mewn winc cododd yr hen Syr Philip ar ei draed. Roedd cleddyf hir yn hongian wrth ei wregys, a safai mor syth â milwr gan edrych yn ffyrnig ar Twm.

'Mae gyda ti gaseg fan yna! Fe all wneud dy ffortiwn i ti! Dyna'r rhedeg perta weles i ers blynyddoedd! Ac rwy wedi gweld rhai o geffyle gore'r byd yn rhedeg, syr!'

Chwythodd trwy ei fwstás ac edrychodd yn fwy ffyrnig fyth.

Wedyn estynnodd ei law a chydiodd Twm ynddi.

'Ga i ofyn ble bydd y gaseg ddu'n rhedeg nesa?' gofynnodd Syr Philip, 'i fi ga'l bod yno i'w gweld hi'n dangos y ffordd adre iddyn nhw.'

'Rwy ar fy nhaith i Lunden, syr – ar fusnes,' meddai Twm, 'ac ar ôl gorffen fy musnes, mi fydda i'n dod 'nôl i Gymru.'

Edrychodd yr hen ŵr yn syn arno.

'Dod 'nôl i Gymru! Yr amser 'ma o'r flwyddyn? Ond fachgen – dyma dymor y rasys mawr.'

Ysgydwodd Twm ei ben. 'Y flwyddyn nesa falle, syr. Ar hyn o bryd rwy ar fusnes.'

Y funud honno cododd ei law a'i rhoi ar ei wasgod, ac aeth ei fysedd trwy rwyg yn y brethyn. Yn wyllt gwthiodd ei law'n ddyfnach i'r leinin, ond roedd rhaff berlau Ledi Eluned wedi diflannu!

Pennod 10

'Nôl yng nghegin gefn y Three Fishermen roedd Twm Siôn Cati'n cerdded yn ôl a blaen ar lawr y gegin gefn. Eisteddai'r porthmon a'r osler ar sgiw yn ymyl y tân gan edrych yn anesmwyth arno. Unwaith neu ddwy roedd y porthmon wedi agor ei geg i ddweud rhywbeth, cyn teimlo nad oedd dim y gallai ei ddweud i helpu o dan yr amgylchiadau. O gegin fawr y dafarn, roedd sŵn chwerthin a siarad uchel i'w clywed.

Yn sydyn stopiodd Twm ar ganol y llawr. Cododd ei ben ac edrychodd yn wyllt ar y ddau.

'Rwy i newydd gofio!' meddai.

'Cofio beth?' gofynnodd y porthmon.

'Fe ddwedodd un o'r ddou sgamp yna rywbeth fel . . . arhoswch chi nawr . . . fel . . . "faint wyt ti'n feddwl gawn ni gan y benthyciwr arian am hon?" Ie, dyna ddwedodd e. Dych chi ddim yn gweld? Siarad am y rhaff berle roedd e! Pwy yw'r dyn 'ma?'

Ysgydwodd Rhys Parri ei ben.

Trodd Twm at yr osler.

'Dim ond un benthyciwr y gwn i amdano,' meddai'r dyn bach.

'Pwy yw e? Ble mae e'n byw?'

'Mae e'n cadw siop ail-law yn y dre 'ma, ac mae e'n rhoi benthyg arian ar log. Mae rhai o wŷr bonheddig mwya'r dre 'ma mewn dyled iddo fe, dros eu pen a'u clustie.'

'Wyt ti'n nabod rhywun o'r enw Quinn?' Ysgydwodd yr osler ei ben.

'Gadewch i ni fynd,' meddai Twm, gan symud at y drws. Edrychodd Rhys Parri'n bryderus arno, ond sylweddolodd nad dyma'r amser i geisio'i rwystro.

'Dere, Wilf,' meddai gan godi ar ei draed.

Roedd hi wedi nosi erbyn hyn a strydoedd Henffordd wedi dechrau tawelu. Ond roedd y tafarnau'n llawn o hyd a sŵn canu a chwerthin yn dod o bob un ohonyn nhw.

Ond ymhen tipyn arweiniodd Wilf nhw i stryd dawel, gul.

'Yn y stryd yma mae tŷ'r benthyciwr arian,' meddai.

'Arwain ni ato,' meddai Twm rhwng ei ddannedd, 'mi dynna i'r tŷ i'r llawr garreg oddi ar garreg os bydd raid i fi!'

Roedd y porthmon yn teimlo fel dweud wrtho nad oedd dim sicrwydd o gwbwl fod y perlau yn y tŷ, ond penderfynodd gnoi ei dafod.

'Dyma fe!' meddai'r osler, a safodd y tri o flaen tŷ tywyll, tal. Roedd y stryd yn wag, a doedd dim sŵn yn unman.

Aeth Twm yn syth at y drws a'i guro'n galed â'i ddwrn. Aeth eco'r ergydion drwy'r hen dŷ.

Fe safon nhw wedyn yn clustfeinio am unrhyw sŵn symud o'r tu mewn. Ond roedd y distawrwydd fel y bedd.

Yna, bron i'r osler bach neidio allan o'i groen pan roddodd Twm gic anferth i'r drws. Roedd sŵn y gic yn ddigon i ddeffro'r meirw, ond chafodd hi ddim mwy o effaith na'r curo funud yn gynt. Doedd dim sôn am neb yn dod i agor y drws.

'Rwy'n mynd i gicio'r drws lawr!' meddai Twm. Roedd y porthmon yn teimlo'n anesmwyth iawn erbyn hyn.

'Y . . . gwell i ni . . . efalle fod well i ni fynd 'nôl i'r cefen . . . falle fod 'na ddrws arall . . .'

Er syndod iddo, derbyniodd Twm yr awgrym.

Cerddodd y tri heibio i dalcen y tŷ i'r cefn. Twm oedd yn arwain a chafodd syndod mawr i weld nid yn unig fod drws yno, ond ei fod led y pen ar agor.

Aeth Twm yn syth i mewn drwy'r drws. Cafodd ei hunan mewn stafell hollol dywyll, ond bod ychydig o dân yn llosgi yn y grât gyferbyn â'r drws.

Clustfeiniodd y tri unwaith eto, ond allen

nhw ddim clywed unrhyw sŵn ar wahân i sŵn cloc yn tician rywle yn y tŷ. Daeth arogl llwydni, baw a hen fwyd i'w ffroenau trwy'r tywyllwch.

Estynnodd Twm ei law a chyffyrddodd â bwrdd â phapurau arno. Cydiodd mewn darn o bapur ac aeth ag e'n ofalus at y tân. Penlinodd a chwythu tipyn cyn cael fflam yn y papur. Cododd ar ei draed wedyn a throi i edrych o'i gwmpas wrth olau'r papur. Bwrdd a dwy stôl ac un gadair freichiau a'i lledr yn dyllog. Hen seld a gwe pry copyn drosti i gyd. Ond ar y bwrdd, ynghanol annibendod o bapurau roedd darn tew o gannwyll. Cyn i'r papur losgi ei fysedd llwyddodd Twm i gynnau'r darn cannwyll, a nawr roedd ganddyn nhw olau cryfach.

Ond doedd dim sôn am yr un enaid byw yn y tŷ.

'Dw i ddim yn hoffi hyn, Twm,' meddai'r porthmon, 'gwell i ni ddod 'nôl yn y bore . . . ryn ni wedi torri mewn . . .'

Ond roedd Twm wedi cydio yn y gannwyll oddi ar y bwrdd a cherdded at ddrws arall ym mhen pella'r stafell. Cododd y glicied a cherddodd drwyddo, ac aeth y ddau arall yn ofnus ar ei ôl.

Fe welon nhw eu bod nawr yn y siop, os oedd hi'n bosib galw siop ar y pentyrrau o hen ddillad, llestri a dodrefn o flaen eu llygaid.

'Edrychwch!' meddai Wilf mewn dychryn, gan bwyntio at hen gwpwrdd derw yn y gornel.

O ben y cwpwrdd roedd dau lygad creulon, llonydd yn edrych i lawr arnyn nhw.

'Arswyd y byd!' meddai'r porthmon.

Yna cododd Twm y gannwyll yn uwch a gweld mai llygaid gwydr hen dylluan wedi'i stwffio oedd yn edrych arnyn nhw.

'Wel . . .' Fe geisiodd yr osler bach chwerthin, ond cafodd y chwerthin ei dagu yng nghorn ei wddf, oherwydd y funud honno trawodd ei droed yn erbyn rhywbeth meddal ar y llawr. Plygodd Twm i weld beth oedd yno, ac yng ngolau'r gannwyll gwelodd hen ŵr barfog yn gorwedd ar lawr bawlyd y siop.

Roedd ei wyneb yn rhychiog a'i lygaid led y pen ar agor. Ond roedden nhw mor ddall â llygaid y dylluan ar ben y cwpwrdd, oherwydd roedd yr hen ŵr yn farw gelain.

Yn ei fynwes roedd cyllell a dim ond ei charn yn y golwg.

'Wilf,' sibrydodd Twm, 'hwn yw'r benthyciwr arian?'

'Ie . . . ie . . .'

'Dduw Mowr!' meddai'r porthmon dan ei anadl, 'mae e wedi'i lofruddio! Gadewch i ni fynd o'r lle ofnadw' 'ma!'

Ciliodd yr osler a'r porthmon yn ddistaw yn

ôl am y drws, ond safodd Twm yn hir yn edrych i lawr ar yr wyneb llwyd, llonydd.

'Pe bai hwn yn fyw,' meddyliodd, 'mae'n debyg y byddai'n gallu dweud ble mae'r rhaff berlau'r funud 'ma.'

Cododd ar ei draed a dal y gannwyll uwch ei ben er mwyn edrych o gwmpas y siop ryfedd honno. Ond doedd hi ddim yn ddiogel aros rhagor, felly aeth ar ôl y lleill.

Erbyn cyrraedd y Three Fishermen roedd y tri wedi cytuno peidio â dweud yr un gair wrth neb am yr hyn oedden nhw wedi'i weld.

'Rhaid i ni beidio sôn wrth neb ein bod ni wedi bod yn agos i'r lle,' meddai Rhys Parri, 'neu fe fyddan nhw'n ein hamau ni. Arswyd y byd! Pe bai rhywun wedi'n gweld ni heno, fe fyddai'n anodd i ni brofi nad ni laddodd e! Ddaw neb o hyd iddo cyn y bore, ac erbyn hynny fe fyddwn ni ar ein taith.'

Petai Rhys Parri wedi gweld y cysgod du oedd wedi eu dilyn o hirbell drwy'r tywyllwch hyd at ddrws y dafarn, mae'n debyg y byddai'n teimlo'n llai esmwyth ei feddwl.

'Mi fyddwch *chi* ar eich taith, Rhys Parri, ond beth ydw i'n mynd i'w 'neud?' Erbyn hyn roedd Twm wedi dechrau credu am y tro cyntaf nad oedd e byth yn mynd i ddod o hyd i raff berlau Ledi Eluned.

Pan gerddodd y tri i mewn i'r Three Fishermen, roedd Syr Philip Townsend yn sefyll ar lawr y gegin gefn yn disgwyl amdanyn nhw. Roedd sŵn siarad a chwerthin uchel yn dod o gegin flaen y dafarn. Edrychodd y tri yn syn ar yr hen ŵr bonheddig, ac edrychodd yntau'n graff arnyn nhw am ychydig, heb ddweud gair. Rhaid ei fod wedi gweld golwg ryfedd arnyn nhw oherwydd ei gwestiwn cyntaf oedd, 'Does dim byd o'i le, oes e?'

'Y – na, syr, mae popeth yn iawn,' meddai'r porthmon. Y funud honno aeth y siarad uchel yn y gegin flaen yn weiddi.

'Gadewch i ni eistedd,' meddai Syr Philip yn uchel, 'dw i ddim yn gwybod a allwn ni glywed ein gilydd fan hyn. Mae'n debyg fod Jim Corby yn aros yn y dafarn 'ma heno – Jim Corby'r paffiwr. Dyna'r rheswm am yr holl sŵn. Mae e'n ffefryn mawr yn y cylchoedd 'ma, ac mae'n debyg 'i fod e'n ymladd â Mat Wells o Lundain bore fory.'

Wedi i'r tri eistedd o gwmpas y tân gofynnodd Twm, 'Oeddech chi am fy ngweld i, syr?'

'Oeddwn.' Yna aeth yn ddistaw am eiliad gan edrych yn feddylgar ar Twm. 'Mae 'na ras fawr yn Llundain ddydd Sadwrn nesa, ac am i ti ddweud dy fod ar dy ffordd i Lundain, a yw hi'n bosib y bydd y gaseg ddu'n rhedeg yn y ras? Mi fydda i'n mynd am Lundain fory, ac fe garwn i weld y gaseg yn rhedeg unwaith 'to . . .'

Torrodd Twm ar ei draws. 'Fe fydd y gaseg yn rhedeg mewn unrhyw ras lle mae 'na siawns iddi ennill tipyn o arian, syr,' meddai, a'i lais yn gras.

Cododd y gŵr bonheddig ei aeliau. 'Ond ro'n i'n meddwl i ti ddweud . . .'

'Mae'r amgylchiadau wedi newid yn llwyr erbyn hyn, Syr Philip.'

Edrychodd y gŵr bonheddig braidd yn syn. Aeth Twm yn ei flaen. 'Felly os ydych chi'n gwybod am unrhyw ras sy'n cael 'i rhedeg yn ystod y dyddiau nesaf yma, fe hoffwn i gael gwybod amdani.'

Edrychodd Twm ar Rhys Parri a'r osler. Yn sydyn, roedd awydd arno dweud hanes perlau Ledi Eluned wrth yr hen ŵr bonheddig yma oedd wedi bod yn ffrind i ffrind gorau Twm – sef yr hen sgweier, Syr Harri Prys, y Dolau. Yna dechreuodd adrodd hanes y ddyled i Syr John Sbens ac fel roedd e wedi derbyn y cyfrifoldeb o ddwyn y perlau i Lundain i'w gwerthu. Dywedodd am yr ymosodiad arno gan ddau ddyn yn y stryd gefn – ac yn y diwedd, er ei fod e a'r porthmon a'r osler bach wedi cytuno i beidio â dweud yr un gair – fe adroddodd

Twm yr holl hanes am eu hymweliad â thŷ'r benthyciwr arian ac am yr hyn a welson nhw yno. Rhyw ffordd neu'i gilydd roedd ganddo ffydd yn yr hen ŵr bonheddig cefnsyth yma, er nad oedd wedi siarad ond ychydig eiriau ag e erioed.

Ar ôl iddo orffen edrychodd Syr Philip yn hir i lygad y tân. 'Wel,' meddai o'r diwedd, 'rwy'n meddwl mai'r peth doethaf fydd gadael y dref yma yn y bore bach yfory. Rwy'n ofni y bydd hi'n rhy beryglus i ti chwilio 'mhellach am y perlau ar hyn o bryd.'

Cynhesodd calon Twm at yr hen ŵr. Doedd e ddim wedi amau yr un gair a ddywedodd. Doedd e ddim wedi meddwl am un eiliad y gallai fod ganddo unrhyw beth i'w wneud â'r llofruddiaeth.

'Wyt ti'n gweld,' meddai Syr Philip, 'tasen ni'n dilyn trywydd y perlau ymhellach ar hyn o bryd, fe fyddai rhaid i ni fynd yn ôl i wneud ymholiadau yn siop y benthyciwr, a taset ti'n gwneud hynny fe fyddai pobol yn dechrau amau ar unwaith. Felly rwy'n mynd i awgrymu dy fod ti a minnau a Wilf yn ei throi hi am Lundain bore fory. Mae'n debyg y byddwch chi, Rhys Parri, yn ein dilyn ni gyda'r gwartheg? Nawr, cred ti fi, Tom, does dim eisiau i ti boeni gormod am y perlau, achos, os rhoi di gyfle iddi, fydd y gaseg ddim yn hir yn ennill digon o arian i ti dalu'r ddyled yna i Syr John Sbens. Nawr, beth amdani? Wyt ti'n cytuno dy fod ti a minnau a Wilf yn dechrau am Lundain yn y bore?'

'Wilf?' meddai Twm. 'Pam Wilf? Mae ganddo fe waith yn y Black Horse!'

'Fe fydd eisiau Wilf i farchogaeth y gaseg.'

'Ond fe alla i farchogaeth y gaseg, syr.'

Gwenodd yr hen ŵr bonheddig.

'Rwy'n ofni dy fod ti'n rhy drwm i farchogaeth y gaseg mewn ras fawr. Beth wyt ti'n ddweud, Wilf?'

'Fyddai dim yn well gen i, syr, na chael cyfle i farchogaeth y gaseg unwaith 'to.'

'Dyna'r mater wedi'i setlo felly.' Gwenodd yr hen ŵr bonheddig ar Wilf. 'Rwyt ti'n fachgen rhy dda i wastraffu dy amser fel osler yn y Black Horse. Fe ddwedais i hynny wrth Iarll Bonham lawer gwaith, cofia. Ond faddeuodd e byth i ti am golli'r ras honno . . .'

Y funud honno boddwyd ei eiriau gan weiddi croch o'r gegin flaen.

Ysgydwodd Syr Philip ei ben. 'Mae'r paffiwr – Corby – yn cael hwyl arni yn y gegin!' gwaeddodd. 'Mae'n bryd i hen ŵr fel fi ddweud "nos da" – fe ga i'ch gweld chi i gyd bore fory.'

Pennod 11

Dihunodd Twm gyda'r wawr y diwrnod wedyn. Drwy'r nos bu'n breuddwydio am lygaid – llygaid gwydr yr hen dylluan ar ben y cwpwrdd a llygaid dall, llonydd yr hen ddyn ar lawr y siop. Nawr roedd ganddo ben tost.

Tynnodd ei drowsus amdano ac aeth at y ffenest. Gwelodd glos llydan y dafarn o'i flaen ac yn y golau gwan gallai weld pwmp dŵr ar ganol y clos a thwba mawr, pren yn ei ymyl. Yn y cae bach y tu draw i'r clos gallai weld tri dyn yn neidio a rhedeg o gwmpas. Allai e ddim deall y peth.

Cydiodd mewn tywel ac aeth i lawr y grisiau'n hanner noeth. Doedd dim un enaid byw i'w weld o gwmpas y dafarn, felly dadfolltiodd y drws ei hunan. Gyrrodd awel oer mis Hydref ias dros ei groen pan ddaeth allan i'r awyr agored, ond mentrodd ar draws y clos, serch hynny.

Roedd y twba'n llawn o ddŵr glân, gloyw. Gwnaeth Twm gwpan o'i ddwy law a chododd y dŵr dros ei wyneb. Yna cododd ragor a'i daflu dros ei wallt a'i gorff. Roedd y dŵr oer fel chwip ar ei groen. Gwnaeth hyn eto ac eto.

Yn sydyn teimlodd rywun yn cydio yn ei goesau o'r tu ôl, a'r eiliad nesaf roedd wedi disgyn ar ei ben i'r twba!

Pan lwyddodd i godi o'r dŵr clywodd sŵn chwerthin uchel tu ôl iddo. Trodd a gwelodd dri dyn yn sefyll yn ei ymyl. Roedd un ohonyn nhw'n dew a chot o frethyn glas, trwchus amdano. Dyn trwyngoch, garw yr olwg oedd y llall. Ond y trydydd aeth â'i sylw fwya. Gŵr ifanc, cryf oedd e a'i wyneb yn greithiau i gyd, ac roedd Twm yn gwybod ar unwaith beth oedd ei waith e. Gallai weld wrth y trwyn cam a'r creithiau mai paffiwr proffesiynol oedd hwn. Nawr roedd y gŵr ifanc yn chwerthin nes bod ei lygaid bach o'r golwg, a gwnaeth hyn i Twm golli ei dymer yn llwyr. Camodd yn fygythiol yn nes at y paffiwr. Gwthiodd hwnnw ei ên ymlaen ato, fel petai'n gofyn i Twm ei fwrw.

'Wyt ti am roi cynnig arni?' gofynnodd gan chwerthin.

'Na, na, gad hi nawr, Jim!' gwaeddodd y dyn trwyngoch gan symud ymlaen. Ond gwthiodd y paffiwr e i ffwrdd.

'Gad iddo roi cynnig arni,' meddai.

Cyn bod y geiriau allan o'i geg yn iawn trawodd Twm e â'i ddwrn yn deg ar flaen ei ên. Roedd hi'n ergyd galed, ond wnaeth y paffiwr ddim ond ysgwyd ei ben ddwywaith neu dair a dechrau chwerthin eto. Yr eiliad nesaf roedd ei ddwrn chwith wedi taro Twm yn ei stumog, cyn i hwnnw gael amser i'w amddiffyn ei hunan o gwbwl. Roedd hi'n ergyd mor sydyn ac mor galed nes y cafodd Twm ei hunan yn ôl yn y twba unwaith eto, a'r tro hwn dim ond ei ben a'i goesau oedd yn y golwg. Edrychai mor ddigri nes gwneud i'r paffiwr ifanc chwerthin yn wyllt gan daro'i ddwrn ar ei ben-glin nawr ac yn y man.

Roedd golwg beryglus ar wyneb Twm pan lwyddodd i godi o'r twba dŵr oer. Am eiliad safodd yn ymyl y twba wrth i'r dŵr redeg i lawr dros ei goesau. Yna rhoddodd naid sydyn, a chyn i'r paffiwr gael amser i godi ei ddwylo i'w amddiffyn ei hun roedd wedi ei daro unwaith eto ar flaen ei ên; ond y tro hwn roedd holl nerth Twm y tu ôl i'r ergyd. Teimlodd boen yn saethu trwy ei fraich dde a meddyliodd yn siŵr ei fod wedi ei thorri. Roedd Twm wedi bod yn ymladd droeon o'r blaen, ond roedd e'n gwybod nad oedd e ddim wedi taro neb â'r fath nerth erioed. Doedd hi ddim yn syndod iddo, felly, pan welodd y paffiwr yn cwympo i'r llawr ac yn gorwedd yno'n berffaith lonydd. Dyma pryd y teimlodd Twm y boen yn ei stumog lle roedd y paffiwr wedi ei daro. Plygodd ei ben rhwng ei bengliniau, a phan gododd unwaith eto

71

gwelodd y ddau ddyn arall yn edrych yn syn ar y paffiwr ar y llawr, fel petaen nhw'n gwrthod credu eu llygaid.

'Duffy,' meddai'r dyn tew, 'pam dyw e ddim yn codi?'

'Y ffŵl gwirion! Y ffŵl gwirion!' meddai'r dyn trwyngoch dan ei anadl. Yna plygodd dros y paffiwr. Edrychodd yn graff arno, yna safodd ar ei draed.

'Mae ar ben, Mr Maddox,' meddai, 'mae asgwrn 'i ên e wedi torri!'

'Asgwrn 'i ên e wedi torri?' meddai'r dyn tew. 'Ond . . . ond mae hynny'n amhosib!' Yna trodd i edrych ar Twm.

'Beth wyt ti wedi'i wneud? Y . . . y . . . y! Wyt ti'n gwybod pwy yw e?'

'Dim syniad,' meddai Twm.

'Jim Corby! Ie, dyna pwy yw e! Rwyt ti wedi clywed sôn am Jim Corby, wyt ti ddim?'

Ysgydwodd Twm ei ben. Doedd e ddim wedi sylwi ar eiriau Syr Philip y noson cynt. Ond doedd y dyn tew ddim yn sylwi arno.

'Ac roedd e i fod i ymladd â Mat Wells am wyth o'r gloch y bore 'ma. A beth wnawn ni nawr? E? Beth wnawn ni nawr?'

'Dim syniad,' meddai Twm, 'fe ddylsech chi fod wedi meddwl am hynny cyn hyn.'

'Ond rwy wedi talu dau gan punt er mwyn i Jim ymladd y bore 'ma! Ac os na fydd e yno fe fydda i'n colli'r cyfan. Duffy, wyt ti'n siŵr na all e ddim ymladd y bore 'ma?'

Chwarddodd y dyn trwyngoch yn chwerw.

'Fydd e ddim yn ymladd â neb am ddeufis o leia, Mr Maddox. Yr arswyd!' meddai gan edrych yn graff ar Twm. 'Mae gen ti ergyd fel gordd yn y fraich dde yna.' Yna gwnaeth arwydd ar y dyn tew. 'Gair bach yn eich clust chi, Mr Maddox, syr, os gwelwch chi'n dda.'

Aeth y ddau draw ychydig oddi wrth Twm a dechrau dadlau am rywbeth, ond ro'n nhw'n cadw'u lleisiau'n rhy isel iddo glywed dim. Gwelodd y dyn tew yn edrych tuag ato, ac yna'n ysgwyd ei ben.

Dechreuodd Twm deimlo'n oer yn ei drowsus gwlyb, felly cydiodd yn y tywel ac aeth yn ôl i gyfeiriad y dafarn. Wrth fynd heibio i'r paffiwr ar y llawr gwelodd e'n dechrau dod ato'i hunan. Wrth fynd i mewn i'r dafarn sylwodd ar hen ddyn bach yn pwyso ar y wal ac yn edrych yn graff arno.

Pennod 12

Hanner awr yn ddiweddarach roedd Twm yn eistedd wrth y bwrdd brecwast yng nghegin y Three Fishermen yn gwisgo trowsus wedi ei fenthyca oddi wrth y tafarnwr. Roedd ei drowsus e'n mygu wrth dân y gegin y funud honno. Yn eistedd wrth y bwrdd gydag e roedd Syr Philip Townsend a'r porthmon.

'Ble mae Wilf 'te?' gofynnodd Twm.

'O, gyda'r gaseg, wrth gwrs!' meddai'r porthmon dan wenu. 'Mae gydag e gymaint o feddwl ohoni ar ôl y ras ddoe – rwy'n meddwl y byddai'n hoffi cysgu gyda hi bob nos!'

'Sut wnes ti wlychu dy drowsus?' gofynnodd Syr Philip, gan edrych ar y trowsus anferth o fawr oedd am Twm.

Adroddodd Twm yr hanes, ond cyn iddo orffen agorodd drws y gegin a daeth y dyn tew yn y got frethyn las i mewn, a Duffy wrth ei sodlau. Daethon nhw at y bwrdd, ond safodd y dyn tew pan welodd Syr Philip Townsend.

'Y . . . Syr Philip,' meddai, 'do'n i ddim yn disgwyl eich gweld chi.'

Edrychodd Syr Philip yn syn arno.

'Wel, beth sy'n bod, Maddox?' gofynnodd yn sych.

Edrychodd Maddox ar Duffy, yna dywedodd,

'Ro'n i am gael gair â'r gŵr ifanc 'ma, syr. Mae e wedi dweud wrthoch chi, mae'n debyg, beth ddigwyddodd y bore 'ma i Jim . . . Jim Corby . . . ry'ch chi'n gwybod, syr, mai fi sy'n gyfrifol am Jim?'

'Rwy'n gwybod hynny'n iawn,' atebodd Syr Philip yn sych. Yna agorodd ei lygaid led y pen.

'Tom!' meddai mewn syndod. 'Wyt ti ddim yn dweud mai Jim Corby gafodd gosfa gennyt ti y bore 'ma?'

'Ie'n wir, syr, gwaetha'r modd,' meddai'r dyn tew.

Dechreuodd Syr Philip chwerthin dros y lle.

'Wel, wel! Maddox, dyma'r stori orau glywes i ers llawer dydd!'

'Ond dy'ch chi ddim yn deall, syr,' meddai Maddox yn ofidus.

'Ddim yn deall? Ydw, rwy'n deall yn iawn,' a dechreuodd yr hen ŵr bonheddig chwerthin unwaith eto.

'Ond roedd Jim i ymladd â Mat Wells y bore 'ma, syr!' gwaeddodd Maddox.

Stopiodd Syr Philip chwerthin, ond roedd yn hawdd gweld ei fod ar fin torri allan eto.

'Wel,' meddai, 'all e ddim. Mae un gosfa mewn diwrnod yn ddigon hyd yn oed i Jim Corby. Roedd hi'n hen bryd i Jim gael cosfa gan rywun . . .'

'Syr!' meddai'r dyn tew, 'rwy i wedi dod yma i ofyn i'r gŵr ifanc 'ma gymryd 'i le fe.'

Cododd Syr Philip ei aeliau.

'Pwy? Tom?'

'Ie syr, rwy'n barod i roi hanner canpunt iddo am ymladd â Mat. Y'ch chi'n gweld, rwy wedi talu dau gan punt . . .'

'Mae'n amhosib, Maddox. Mae e a minnau'n gadael am Lundain cyn pen hanner awr. A pheth arall – dyw e ddim yn baffiwr. Dwyt ti ddim yn baffiwr wyt ti, Tom?'

'Roedd 'i dad yn un o'r paffwyr gore fuodd o fewn y cylch erioed, Syr Philip,' meddai'r porthmon.

Yna cododd Twm oddi wrth y bwrdd a throdd i wynebu Maddox a Duffy.

'Codwch y tâl i ganpunt, ac fe wna i,' meddai.

'Canpunt!' gwaeddodd y dyn tew a Duffy gyda'i gilydd. 'Dim ond canpunt oedd Jim i'w gael – *petai e'n ennill!*'

'Canpunt, neu rwy'n gwrthod yn bendant.'

'Ond Tom . . .' dechreuodd Syr Philip, gan edrych arno'n syn.

'Rhaid i chi beidio anghofio, syr, fod dyled

gen i i'w thalu yn Llundain, a dyma un ffordd i ennill tipyn o arian i'w thalu hi!'

'Ond Mat Wells! Mae e'n baffiwr proffesiynol enwog!'

'Rwy'n fodlon cymryd fy siawns, syr. Wel, Mr Maddox, beth amdani?'

Edrychodd hwnnw ar Duffy.

'Wel, syr,' meddai'r dyn trwyngoch, 'fe fyddwch chi'n colli dau gan punt os na fydd gyda chi ddyn i ymladd yn erbyn Mat y bore 'ma.'

'O'r gore – canpunt!' meddai Maddox.

'I'w talu nawr, os gwelwch chi'n dda,' meddai Twm.

'O, na! Fe allet ti redeg i ffwrdd â'r arian!'

'Fe gewch chi roi'r arian yng ngofal Syr Philip Townsend. Mae gennych chi ddigon o ffydd ynddo fe, gobeithio?'

Wedi tipyn o rwgnach cafodd yr arian ei rifo ar y bwrdd cyn i Syr Philip ei gymryd.

'O'r gore,' meddai Duffy, 'rhaid i ni gychwyn ar unwaith.'

'Ble mae'r ymladd i ddigwydd?' gofynnodd Syr Philip.

'Mewn cae tu allan i'r dre, syr. Mae'n rhaid cadw'r peth yn ddirgel, wrth gwrs, neu fe fydd y Gyfraith ar ein penne ni. Ond fe fyddwn ni yno cyn pen hanner awr; mae gan Mr Maddox gerbyd . . .'

'Mae gen innau un hefyd,' meddai Syr Philip yn swta. Yna trodd at Twm ac meddai, 'Tom, Tom, rwyt ti wedi gwneud cytundeb ffôl iawn!'

Pennod 13

Doedd barrug y bore ddim wedi codi oddi ar y borfa pan gyrhaeddon nhw'r cae hwnnw y tu allan i dref Henffordd. Cafodd y cae yma ei ddewis yn ofalus. Roedd coed trwchus yn tyfu rhyngddo a'r briffordd, ac roedd llethr yn mynd i lawr hyd at ei waelod, lle roedd man gwastad. Y tu draw iddo roedd afon, felly doedd dim perygl i'r cwnstabliaid ddod yn sydyn ar eu pennau o'r cyfeiriad hwnnw.

Ar y llecyn gwastad ar waelod y cae roedd y cylch – un rhaff wedi ei chlymu wrth bedwar o byst garw – ac o'i gwmpas roedd tyrfa fawr gymysg o foneddigion a phobl gyffredin yn sefyll. Rhaid bod rhai ohonyn nhw'n adnabod cerbyd Maddox, oherwydd cyn gynted ag y gwelson nhw e'n dod i'r cae rhedodd nifer o fechgyn ifanc ato gan weiddi, 'Corby! Jim Corby!'

Ond pan welson nhw nad oedd Jim Corby yn y cerbyd edrychon nhw ar ei gilydd mewn penbleth. Yna gwaeddodd rhywun, 'Twyll! Dyw Jim ddim yn ymladd!'

Yna safodd Maddox ar ei draed yn y cerbyd a gweiddi, 'Peidiwch â phoeni, ffrindiau, mae hwn – Tom Welsh – wedi curo Jim!'

Yna daeth cefnogwyr Mat Wells ymlaen a dechreuodd dadl fawr. Doedden nhw ddim yn fodlon i Mat ymladd â'r dieithryn yma, gan ddweud bod Maddox wedi torri'r cytundeb, felly fe ddylai dalu dau gan punt iddyn nhw. Ond aeth Maddox a Duffy â nhw i un ochr, a dyna lle buon nhw'n dadlau am ryw bum munud. Yn ystod yr amser yma roedd y dyrfa'n anesmwyth iawn, a hawdd gweld bod y bobl am weld brwydr o ryw fath, gan eu bod wedi teithio mor bell. Eisteddai Twm yn y cerbyd yn ymyl Syr Philip Townsend o hyd, a thyrfa o bobl yn gwthio 'mlaen i gael golwg arno. Ond roedd rhywbeth yn llygad yr hen Syr Philip yn eu cadw rhag dod yn rhy agos ato.

'Mae Mat yn mynd i dy lyncu di, was!' gwaeddodd rhyw wag o ganol y dorf, a chwarddodd pawb. Chymerodd Twm arno fod e ddim wedi ei glywed. Yn rhyfedd iawn doedd e ddim yn meddwl am y frwydr â Mat Wells o gwbwl y funud honno. Meddyliai am yr hen ddyn ar lawr y siop. A oedd rhywun wedi dod o hyd iddo bellach? Ble roedd perlau Ledi Eluned erbyn hyn? O leiaf roedd ganddo ddau gan sofren tuag at dalu'r ddyled i John Sbens – y can gini a enillodd y gaseg, a'r canpunt oedd gan Syr

Philip y funud honno – sef ei dâl am wynebu Mat Wells, pwy bynnag oedd hwnnw. Wedyn dechreuodd feddwl am yr hen ddyn bach rhyfedd oedd wedi edrych mor graff arno pan ddaeth allan trwy ddrws y Three Fishermen y bore hwnnw.

Yna daeth Maddox a Duffy yn ôl, ac roedd gwên fawr ar wynebau'r ddau.

'Wel,' meddai Maddox, 'dyna bopeth wedi'i setlo. Fe fydd Duffy'n gofalu amdanat ti . . . y . . . Tom Welsh . . . rhaid i ti faddau i mi am roi'r enw 'na arnat ti.'

'Ydych chi'n barod i ddechre?' gofynnodd Twm, gan godi ar ei draed.

'Ydyn,' meddai Duffy, 'mae rhai o'r gwŷr bonheddig yn dechre colli amynedd. Mae Mat yn y cylch yn barod.'

Tynnodd Twm ei siaced a'i grys oddi amdano, ac edrychodd y dorf gyda thipyn o ddiddordeb ar ei gorff lluniaidd.

'Lwc dda i ti, Tom,' meddai Syr Philip, 'ond cofia byddai'n well gen i pe baen ni'n dau ar ein ffordd i Lundain y funud 'ma.'

Yna roedd Duffy'n arwain Twm drwy'r dorf at y cylch. Am y tro cyntaf dechreuodd Twm deimlo'n nerfus. Roedd yr awel yn oer ar ei groen noeth a theimlai gryndod yn mynd trwy ei gorff i gyd. Yna cafodd ei olwg gyntaf ar Mat Wells. Roedd e'n eistedd ar stôl odro yn y

81

cornel pellaf oddi wrtho, ac roedd yr olwg arno'n ddigon i godi dychryn ar unrhyw un. Edrychai'n ffyrnig ar Twm, ac roedd creithiau hen frwydrau'n amlwg ar ei wyneb. Roedd ei ben yn foel a'i drwyn yn hollol fflat. Sylwodd Twm fod ei freichiau mor drwchus â choesau dyn cyffredin.

Cododd Mat ar ei draed i ystwytho'i goesau a'i freichiau. Trodd a tharo'r post pren tu ôl iddo â'i ddwrn mawr, caled. Ond roedd Twm yn gwybod mai triciau oedd y rhain i godi ofn arno ef. Sylwodd ar rywbeth arall mwy pwysig – roedd Mat braidd yn foliog – ac o'r funud honno penderfynodd Twm mai ergyd yn ei stumog a fyddai'n fwyaf tebyg o frifo Mat.

'Gwell i ti fynd draw i ysgwyd llaw ag e,' sibrydodd Duffy yn ei ymyl.

'I beth?' gofynnodd Twm.

'Wel, mae'n arferiad ac mae'r gwŷr bonheddig yn disgwyl hynny.'

'O, o'r gore.' Cododd Twm oddi ar ei stôl deirtroed a cherddodd ar draws y ring. Estynnodd ei law dde i Mat ond safodd hwnnw a'i ddwy law tu ôl i'w gefn, gan edrych yn gas arno. Yna poerodd ar y borfa wrth draed Twm. Gwnaeth hyn i'r dorf chwerthin yn uchel. Teimlodd Twm ei dymer yn dechrau codi, ond cofiodd fod hwn hefyd yn un o'r triciau. Roedd Mat yn gwybod bod paffiwr wedi colli ei dymer yn hawdd ei drechu.

Aeth Twm yn ôl i'w gornel ei hun heb ddweud dim. Yna camodd rhyw ddyn, wedi ei wisgo yn y ffasiwn ddiweddaraf, i mewn i'r cylch. Eglurodd y rheolau – byddai'r ymladd yn mynd ymlaen nes byddai'r naill neu'r llall wedi cael ei daro i'r llawr. Wedyn byddai munud o hoe, ac os na allai un ohonyn nhw godi ar ddiwedd y funud yna byddai'r llall wedi ennill. Doedd dim hawl defnyddio'r pen na'r traed, dim ond y dyrnau – 'a'r gŵr gorau i ennill'. Yna tynnodd wats o'i boced a gollyngodd gadach gwyn o'i law fel arwydd i'r ymladd ddechrau.

Chwipiodd Duffy'r stôl deirtroed i ffwrdd a mynd allan o dan y rhaff. Daeth Mat o'i gornel yn araf. Roedd newydd glywed yn ei gornel mai brwydr ffug oedd hon i fod – 'put-up job' fel y dywedodd un o'i gefnogwyr, a doedd y bachgen yma oedd yn ei wynebu ddim wedi bod yn y cylch erioed o'r blaen. Roedden nhw wedi dweud wrtho hefyd fod Maddox, yn dawel bach, yn ceisio betio arno fe – Mat. Y neges a gafodd cyn gadael ei gornel oedd i adael i'r frwydr fynd ymlaen am dipyn er mwyn diddori'r gwŷr bonheddig, yna i roi un ergyd i'r gŵr ifanc i orffen y mater. Ond roedd Mat yn hen ymladdwr, ac yn gwybod yn well na neb am driciau'r cylch paffio. Cofiodd iddo golli un frwydr o'r blaen ar ôl cael yr un gorchymyn! Ond wrth edrych ar Twm nawr roedd e'n tueddu i gredu'r hyn a glywodd. Doedd dim craith ar hwn yn un man. Ond wedyn, roedd e wedi torri gên Jim Corby. Ergyd lwcus pan oedd Jim ddim yn barod? Efallai. Wel, roedd e'n barod i chwarae â hwn am dipyn er mwyn gwneud tipyn o sioe i'r gwŷr bonheddig. Dyna'r meddyliau oedd yn mynd trwy ben moel Mat Wells wrth droi'n ofalus o gwmpas y cylch.

Anelodd ddyrnod neu ddwy at ben Twm i weld sut un oedd e. Llwyddodd hwnnw i'w hosgoi'n hawdd. Yna symudodd Mat ymlaen a chiliodd Twm. Aeth Mat ar ei ôl ac yn sydyn cafodd Twm ei hun yn y gornel heb le i ddianc. Roedd dyrnau Mat yn gwibio ato o bob cyfeiriad a sylweddolodd Twm fod ymladd â hwn yn wahanol iawn i ymladd â bechgyn y ffeiriau yn Nhregaron.

Roedd y dorf o gwmpas y cylch yn gweiddi ond doedd Twm ddim yn clywed unrhyw sŵn. Llwyddodd i daro un ergyd ar drwyn fflat y paffiwr, ond yr eiliad nesaf trawodd Mat e yn ei frest â'r fath nerth nes ei daflu'n ôl yn erbyn post y rhaff. Yna bu rhaid iddo blygu'n sydyn i osgoi dwrn arall. Ond yn ei blyg fan honno gwelodd nad oedd Mat yn amddiffyn ei stumog, ac fel fflach trawodd Twm e ddwywaith yn galed yn y rhan meddal honno o'i gorff. Clywodd Twm e'n sugno'i anadl i mewn, a sylweddolodd ei fod wedi ei frifo. Yna, er syndod iddo, roedd

Mat yn eistedd ar y borfa a'i geg fawr ar agor. Am eiliad roedd y dorf yn ddistaw fel pe bai'n gwrthod credu bod Mat wedi ei fwrw i'r llawr. Yna dechreuon nhw weiddi eto. Ai tric oedd hwn hefyd? A oedd Mat am hoe i gael ei wynt ato?

Aeth Twm yn ôl i'w gornel ac eistedd ar lin Duffy. Roedd golwg ofidus ar wyneb hwnnw. Beth oedd yn bod arno?

'Ydw i'n gwneud yn go lew?' gofynnodd Twm.

'Wyt, ond cofia, does neb yn disgw'l i ti guro Mat.'

'Wel, rwy'n mynd i geisio'i guro fe beth bynnag.'

'Paid â siarad mor ffôl! Gad iddo roi un ergyd galed i ti, ac yna fe elli di orwedd ar lawr, a dyna'r cyfan drosodd.'

Edrychodd Twm yn syn arno, ond cyn iddo gael amser i ddweud dim galwodd y dyn yn y dillad ffasiynol ei bod yn bryd ailgychwyn.

Penderfynodd Twm y tro hwn mai cadw'n glòs at Mat fyddai orau iddo. Wrth wneud hynny gallai osgoi holl nerth ei ergydion, ac ar yr un pryd roi cyfle iddo e ei hun ei daro yn ei gorff.

Clymodd y ddau ar ganol y cylch a llwyddodd Twm i daro un neu ddwy ergyd ysgafn ar fogail Mat. Doedd hyn ddim wrth fodd y paffiwr o gwbwl, a cheisiodd ei ryddhau ei hun trwy symud yn ôl. Ond aeth Twm gydag e. Roedd cefn Mat ar y rhaff ac allai e ddim dianc 'mhellach. Roedd dwrn chwith Twm yn rhydd a thrawodd e yn yr union fan lle trawodd e o'r blaen. Clywodd y paffiwr yn rhochian. Roedd pen Twm ar ysgwydd Mat a gallai weld wynebau'r dorf yn agos ato. Ac yno, yn union o'i flaen, safai'r dyn oedd wedi ymosod arno yn y stryd gefn yn Henffordd! Quinn!

Am eiliad edrychodd y ddau i lygaid ei gilydd a sylweddoli bod y naill wedi nabod y llall. Yna gwthiodd y lleidr drwy'r dorf a diflannu. Yr eiliad nesaf roedd dwrn mawr Mat wedi disgyn ar flaen gên Twm.

Syrthiodd yn ei hyd ar y glaswellt heb glywed dim o sŵn y dyrfa'n gweiddi. Daliai'r dyn crand ei wats yn ei law yn cyfri'r eiliadau. Ond ar ben y trigain eiliad doedd Twm ddim wedi symud gewyn. Cydiodd y dyn yn llaw Mat a'i dal uwch ei ben fel arwydd mai fe oedd wedi ennill. Yna dechreuodd y dorf chwalu'n gyflym. Cyn bo hir roedd pawb wedi mynd o'r cae, ond y porthmon a Syr Philip, a nhw godod Twm i gerbyd Syr Philip a mynd ag e'n ôl i gyfeiriad y Three Fishermen. Doedd Maddox na Duffy ddim wedi trafferthu aros i weld a oedd e'n fyw neu'n farw.

Pennod 14

Agorodd Twm ei lygaid a gweld toeon tai a thipyn o awyr las uwch ei ben. Ble roedd e? Yna sylweddolodd ei fod mewn cerbyd yn teithio'n gyflym i rywle. Gallai glywed sŵn olwynion a charnau ceffylau ar ffordd galed. Yna clywodd lais yn dweud, 'Does dim syniad gen i beth ddigwyddodd, ond roedd e fel 'tai e'n edrych i gyfeiriad arall pan gafodd e ergyd.'

'Doeddwn i ddim yn fodlon i Tom ymladd yn y lle cynta. Doedd ganddo fe ddim gobaith yn erbyn Mat Wells.'

'Falle, syr, ond roedd 'i dad cystal â'r gore ohonyn nhw.'

Gwenodd Twm. Rhys Parri a'r hen Syr Philip! Teimlai'n ddiog rywfodd, a doedd dim awydd symud arno. Ond cofiodd beth oedd wedi digwydd iddo. Pam doedd e ddim yn edrych pan drawodd Mat Wells e? Fel fflach, cofiodd am yr wyneb llwyd ynghanol y dyrfa. Cododd yn sydyn ar ei eistedd. Roedd Rhys Parri'n ei wynebu a Syr Philip yn ei ymyl.

'Fe weles i e ynghanol y dorf!' meddai'n wyllt.

Edrychodd Syr Philip a'r porthmon yn syn arno, ac yna ar ei gilydd, gan feddwl nad oedd Twm wedi dod ato'i hunan yn iawn eto.

'Fe ddwedes i ddigon, Tom, y byddai'n well i ni ddechrau am Lundain y bore 'ma peth cynta.'

'Ond syr,' meddai Twm, 'dw i ddim yn siŵr y galla i fynd i Lundain nawr. Y'ch chi ddim yn deall? Rwy i wedi gweld un o'r dynion ymosododd arna i.'

Edrychodd yr hen ŵr mewn penbleth.

'Lleidr y rhaff berlau, Syr Philip,' eglurodd y Porthmon. 'Wyt ti wedi'i weld e, ddwedest ti, Twm?'

'Ydw. Edrych i wyneb hwnnw ro'n i yn lle gwylio Mat Wells.'

'O?' meddai'r porthmon a Syr Philip gyda'i gilydd.

Yna stopiodd y cerbyd o flaen drws y Three Fishermen a daeth y tri allan. Wrth fynd i mewn drwy'r drws gwelodd Twm yr hen ddyn bach rhyfedd a welodd y bore hwnnw. Roedd e'n pwyso yn erbyn talcen y wal gan edrych yn syn ar Twm, nes gwneud i hwnnw deimlo'n anesmwyth. Pwy oedd e? A pham roedd e'n edrych mor rhyfedd arno?

Wedi clywed sŵn y cerbyd daeth Wilf yr osler o rywle, ac roedd hwnnw'n edrych yn syn ar

Twm hefyd, pan gerddodd i mewn i'r gegin. Hawdd gweld ei fod yn synnu bod Twm yn fyw ac yn iach ar ôl bod yn y cylch gyda Mat Wells. Ond wedi craffu ar wyneb yr osler teimlodd Twm fod rhywbeth arall yn ei boeni hefyd.

'Be sy, Wilf? Does dim byd o'i le, oes e?'

Yna daeth y dyn bach yn nes ato, ac meddai mewn llais isel,

'Mae'r cwnstabliaid o gwmpas y lle 'ma.'

'Beth!'

'Ydyn, pedwar ohonyn nhw, o leiaf. Ro'n i yn y stabal gyda'r gaseg pan ddigwyddes i edrych allan a'u gweld nhw'n diflannu heibio i dalcen y dafarn.'

'Dyna setlo'r mater,' meddai Syr Philip. 'Rhaid i ni fynd ar unwaith.'

'Mynd i ble, syr?' gofynnodd llais o'r tu ôl iddo. Edrychodd y pedwar i gyfeiriad y drws. Yno safai dyn tal, tenau â het gorun uchel ar ei ben, oedd yn gwneud iddo edrych yn dalach fyth. Yn ei law roedd ffon fer, drwchus, a thu ôl iddo yn y drws agored safai tri cwnstabl o dref Henffordd. Daeth y dyn tal i mewn i'r stafell yn hamddenol gan droi'r ffon fer ar ei arddwrn.

'Wel, wel, roeddech chi'n meddwl mynd i rywle, oeddech chi? Ydych chi'n gwybod pwy ydw i?'

Sylweddolodd y tri ohonyn nhw ar unwaith mai un o Redwyr Bow Street, Llundain, oedd hwn, ond doedd Twm ddim wedi gweld un o'r dynion enwog hynny erioed o'r blaen. Roedd wedi clywed digon o sôn amdanyn nhw, wrth gwrs. Rhain oedd y plismyn newydd o Lundain oedd wedi tyngu llw i ddal lladron pen-ffordd a'u dwyn i'r llys barn. Doedden nhw byth yn gorffwys pan oedden nhw ar drywydd lleidr, nes oedd hwnnw'n ddiogel yn y carchar, yn ôl y sôn.

'Allwn ni eich helpu chi, syr?' gofynnodd Syr Philip, gan sefyll yn syth o'i flaen.

Atebodd y Rhedwr tal ddim. Daliai i droi'r ffon fer am ei arddwrn. Yna trodd at y tri cwnstabl yn y drws. 'Dewch â gwas y benthyciwr arian i mewn yma,' meddai.

Trodd yr osler yn welw ac agorodd y porthmon ei lygaid led y pen pan glywodd eiriau'r Rhedwr. Roedden nhw wedi ofni hyn.

Taflodd y porthmon lygad ar Twm. Roedd e'n sefyll ar ganol y llawr yn gwylio'r Rhedwr a'r cwnstabliaid. Tynnodd ei law yn dyner dros ei ên lle roedd dwrn Mat Wells wedi ei daro, gan edrych yn ddiniwed.

Daeth un o'r cwnstabliaid 'nôl â'r dyn bach rhyfedd roedd Twm wedi ei weld yn ei wylio ddwywaith y bore hwnnw. Dyma was y benthyciwr felly. Gwelodd fod y creadur yn crynu fel deilen, a hawdd gweld ei fod yn ofnus.

'Nawr, ffrindiau,' meddai'r Rhedwr, gan daro'r bwrdd yn sydyn â'i ffon, 'cafodd un o drigolion parchus Henffordd ei ladd neithiwr, gan rywun neu rywrai. Cafodd ei lofruddio â chyllell yn nyfnder nos.' Rhoddodd ei law yn ei boced. 'Â'r gyllell yma!'

Bu llygaid yr osler bach bron â neidio allan o'i ben pan welodd yr arf dychrynllyd yma'n dod i'r golwg, a chofiodd yn fyw iawn ymhle roedd wedi ei weld o'r blaen.

'Ar ôl lladd y gŵr parchus yma,' meddai'r dyn â'r ffon wedyn, 'a dwyn ei eiddo, fe ddihangodd y llofrudd dan gysgod nos, gan feddwl nad oedd neb wedi ei weld yn cyflawni'r weithred ofnadwy. Roedd e wedi credu y galle fe ddianc yn iach, i fyw'n fras ar gyfoeth rhywun arall. Ond na – roedd dau beth yn rhwystro hynny. Yn gyntaf, roeddwn i – Toby Stevens, at eich gwasanaeth – un o Redwyr Bow Street – yn digwydd bod yn y dre; wedi dod yr holl ffordd i roi Joe King, y lleidr pen-ffordd, yn ddiogel yn y carchar yma. A! Joe King! Cwmnïwr difyr, ac mae'n rhaid i mi ddweud, ffrindie, er na ddylwn i ddim, fod gen i barch at Joe King – o leia fwy o barch nag sy gen i at lofruddion sy'n torri i mewn i dai hen bobol yn y nos. Ond rwy'n crwydro, ffrindie. Dweud roeddwn i fod dau ddigwyddiad yn yr achos yma wedi bod yn anffodus i'r llofrudd. Y ffaith fod un o Redwyr Bow Street yn digwydd bod yn y dre oedd un, a'r llall – fod y llofrudd wedi ei weld!'

Gwaeddodd y gair olaf a chaeodd ei geg fawr yn sydyn. Cydiodd yng ngholer cot y dyn bach a'i dynnu'n lletchwith o'i flaen.

Dechreuodd Syr Philip ddweud rhywbeth, ond cododd y Rhedwr siaradus ei law.

'Nawr, dyma i chi was y diweddar ŵr – gwas da a ffyddlon – yn gwylio eiddo'i feistr nos a dydd. Nawr, was da, dwed – wyt ti wedi gweld un neu ragor o'r dynion 'ma o'r blaen?'

Edrychodd yr hen ŵr carpiog yn ofnus o un i'r llall. Yna safodd ei lygaid ar Twm.

'Wel?' gwaeddodd Stevens. 'Mae'r ffrind yma'n drwm 'i glyw, ffrindie,' eglurodd.

Agorodd y dyn bach ei geg led y pen ond ddywedodd e ddim gair.

'Wel?' Cydiodd Stevens yn dynnach yn ei goler. Yna cododd y creadur ei fys brwnt a phwyntiodd at Twm.

'Ha!' meddai Stevens, a gollyngodd ei afael yn ei goler. Yna dechreuodd yr hen ŵr bach siarad yn un ffrwd.

'Ro'n i yn y gegin gefn yn disgwyl i'r meistr ddod am 'i swper. Roedd e'n hir iawn yn dod, ac roedd y bwyd yn oeri. Roedd y siop yn dywyll a doedd dim sŵn . . . mae ffenest fach . . . rwy'n gallu gweld mewn i'r siop . . . unwaith pan ddaeth e'n ôl a 'ngweld i tu ôl i'r cownter roedd e'n grac . . .'

Stopiodd a rowliodd ei lygaid.

'Ie, ie! Ond neithiwr?' gwaeddodd Stevens, gan daro'r bwrdd â'i ffon. 'Dwed yr hanes i gyd, was da, ond paid â chrwydro. Rwy'n ddyn prysur.'

'Pan oeddwn i'n gwneud swper . . .' Stopiodd y dyn bach eto, ac edrych yn euog. 'Fe edrychais i drwy'r ffenest. Roedd golau yn y siop bryd hynny – ac roedd dau ddyn yn siarad â'r meistr . . . welais i ddim ond 'u cefnau nhw.'

Trodd y gwas carpiog i edrych ar Stevens.

'Ie?' meddai hwnnw'n ddiamynedd.

'Wel, fe ferwodd y llaeth oedd ar y tân dros y sosban.'

Bu distawrwydd am dipyn.

'O, fe ferwodd y llaeth dros y sosban, do fe?' gwaeddodd Stevens.

'Do, syr, a phan ges i gyfle i fynd 'nôl i edrych wedyn, roedd y siop yn dywyll. Ro'n i'n meddwl bod y meistr wedi mynd allan i rywle. Fe arhosais i awr, siŵr o fod . . . ac roedd y bwyd yn oeri . . . doedd y meistr ddim yn fodlon i mi gadw gormod o dân.'

'Ie, beth ddigwyddodd wedyn?' gofynnodd Stevens.

'Wel, fe weles i olau yn y siop. Ro'n i'n meddwl bod y meistr wedi dod 'nôl . . . ond pan edrychais i wedyn drwy'r ffenest fach fe weles rywun dierth a channwyll yn 'i law e'n plygu . . .'

Dechreuodd rowlio'i lygaid unwaith eto, gan edrych i gyfeiriad Twm.

'Yn plygu?' gofynnodd Stevens yn awchus.

'Yn . . . yn . . . plygu dros gorff y meistr ar y llawr . . . ac roedd cyllell . . .'

'Hon!' gwaeddodd Stevens, gan ei dal o flaen ei lygaid.

Ceisiodd y truan symud 'nôl ond roedd Stevens yn ei ddal wrth ei goler.

'Welaist ti wyneb yr un oedd yn dal y gannwyll?' gofynnodd.

'Dy-d-do.'

'Yn glir?'

'Do, roedd 'i wyneb at y ffenest fach ac roedd y gannwyll yn agos at 'i wyneb.'

'Ha! A dim ond un dyn oedd yn y siop, heblaw'r meistr anffodus?'

'Y . . . ie . . . ond . . .'

'Ie? Ond? Beth yw hyn, was da?'

'Dim ond un dyn welais i, ond ro'n i'n meddwl i mi weld cysgod rhywun arall.'

'Meddwl!' meddai Stevens. 'Wna meddwl ddim mo'r tro, rhaid i dyst fod yn siŵr.'

'Wel, na, dw i ddim yn siŵr.'

'O'r gore. Wel, a wyt ti'n siŵr dy fod ti'n gweld y dyn yna welaist ti'n plygu dros y corff wrth olau'r gannwyll, yn y stafell yma'r funud 'ma?'

Edrychodd y dyn bach yn syth ar Twm, a'i geg led y pen ar agor.

94

'Wel? Wel?' gwaeddodd Stevens.

Ond doedd y gwas ddim yn gwrando arno, neu doedd e ddim yn ei glywed.

'Pan aeth e allan o'r siop do'n i ddim yn gwybod beth i'w wneud. Roedd arna i ofn gweiddi, ac ofn aros yn y tŷ. Wel, fe fentrais i allan i'r stryd. Roedd hi'n dywyll. Ond roedd gole yn ffenest Mrs Wilkins, ac fe'i gweles i e'n mynd heibio.'

'P'un o'r rhain oedd e?' gofynnodd Stevens yn ddiamynedd.

'Doedd gen i ddim byd am fy nhraed. Mi fydda i'n gweithio yn y tŷ heb sgidie bob amser; ac fe es i ar 'i ôl e'n ddistaw bach gan gadw'n ddigon pell. Wedi cyrraedd y stryd fawr lle roedd mwy o olau roedd 'na dri yn cerdded yn weddol agos at 'i gilydd, ond dw i ddim yn gwybod a oedd y ddau arall gydag e. Wedyn fe aeth y tri mewn i'r Three Fishermen. Fe fues i'n cerdded o gwmpas drwy'r nos . . . allwn i byth fynd 'nôl i'r tŷ at . . .'

'P'un o'r rhain oedd e?' gwaeddodd Stevens yn ffyrnig.

Cododd y gwas ei law a phwyntiodd at Twm.

Symudodd y cwnstabliaid gam yn nes ac aeth y stafell yn dawel am funud. Yna rhoddodd Stevens ei ffon fer ar y bwrdd a cherddodd ar draws y stafell at Twm. Safai hwnnw ar ganol y llawr yn gwylio'r Rhedwr yn ofalus. Daliodd y porthmon ei anadl.

'Dangos dy ddwylo i mi!' meddai Stevens.

Doedd Twm ddim yn disgwyl hyn, ac estynnodd ei ddwy law. Yr eiliad nesaf clywodd sŵn metel yn tincial. Ond roedd yn rhy hwyr. Teimlodd ddau gylch haearn yn cau am ei arddyrnau. Doedd e ddim hyd yn oed wedi gweld dwylo Toby Stevens yn symud.

'Cydiwch ynddo!' gwaeddodd hwnnw gan gamu'n ôl. Yna roedd y tri cwnstabl wedi cau amdano a chydio yn ei freichiau.

Dechreuodd pawb siarad yr un pryd, ond roedd y cwnstabliaid yn symud Twm i gyfeiriad y drws. Yna, uwchlaw'r sŵn siarad i gyd, daeth sŵn llais mawr Rhys Parri'r porthmon.

'Arhoswch!'

Safodd y cwnstabliaid ar eu ffordd allan.

'Nid Twm lladdodd e!' gwaeddodd Rhys. 'Roedd e'n farw'n barod.'

Edrychodd Stevens o un i'r llall â gwên ar ei wyneb.

'Sut wyt ti'n gwybod hynny?' gofynnodd.

'Rhys Parri!' gwaeddodd Twm. 'Dim gair arall.'

'Ond Twm, ro'n i . . .'

'Mae'n wir,' meddai Twm wrth Stevens, gan dorri ar draws Rhys Parri. 'Roedd yr hen ddyn yn farw pan gyrhaeddais i.'

'Ha!' meddai Stevens. 'Rwyt ti'n cyfaddef, felly, i ti fod yn y tŷ?'

'Ydw, ond roedd yr hen ddyn . . .'

'A . . . a . . . a . . . a!' gwaeddodd Stevens gan godi ei ddwylo. 'Dim gair arall.'

'Ond y dyn ofnadwy!' meddai Syr Philip.

'Dim gair arall, syr,' meddai Stevens. 'Fe gaiff e gyfle i amddiffyn 'i hunan yn y Frawdlys.'

'Y Frawdlys?' gofynnodd Rhys Parri'n syn.

'Wrth gwrs.'

'Ry'ch chi'n gwneud camgymeriad, ddyn,' meddai Syr Philip.

Ond roedd Stevens wedi colli amynedd. 'Ewch ag e o 'ma!' gwaeddodd, a dechreuodd y cwnstabliaid wthio Twm drwy'r drws.

'Syr Philip!' gwaeddodd Twm wrth ddiflannu drwy'r drws. 'Gofalwch am y gaseg ac . . . am 'y musnes i – yn Llundain!'

Yna roedd wedi mynd a'r drws wedi cau.

Edrychodd Rhys Parri a Syr Philip ar ei gilydd.

'Ond . . .' meddai'r porthmon, 'allwn ni ddim gadael iddyn nhw fynd ag e!'

'Maen nhw wedi mynd ag e, rwy'n ofni, Rhys Parri,' atebodd yr hen ŵr bonheddig yn drist.

'Ond roedd Wilf a finne gydag e! Os yw e'n gorfod mynd i garchar, fe ddylen ninne fynd hefyd!'

Edrychodd Syr Philip yn hir arno.

'Gwrandewch, Rhys Parri; rwy'n meddwl y gellwch chi – a Wilf – wneud mwy o les i Twm wrth gadw'ch penne allan ohoni. Ellwch chi ddim gwneud unrhyw les i Twm trwy fynd i'r carchar gydag e. Ond o'r tu allan fe allwn ni wneud rhywbeth. Fe awn ni i gael gair â'r Ynadon i ddechre. A rhaid i ni gofio geirie diwetha Twm cyn iddyn nhw fynd ag e. "Gofalwch am 'y musnes i – yn Llundain".'

Tra oedd y siarad yma'n mynd ymlaen yng nghegin y 'Three Fishermen', roedd Twm yn cael ei lusgo drwy strydoedd Henffordd gan y cwnstabliaid. Cerddai Mr Toby Stevens ryw ddecllath tu ôl iddyn nhw, a chyn iddyn nhw gyrraedd y carchar roedd criw o blant a phobl mewn oed yn dilyn o'r tu ôl.

'Pwy yw e? Beth wnaeth e?' holai lleisiau o'r dorf.

Rhaid bod Stevens wedi dweud wrthyn nhw, oherwydd dechreuodd rhai ohonyn nhw weiddi, 'Llofrudd! Llofrudd!'

Gwthiodd un fenyw dew ymlaen at Twm a gweiddi, 'Cofia roi gwybod pan fyddi di'n cael dy grogi; charwn i ddim colli'r sioe am y byd!'

'Meddyliwch wir, bachgen ifanc fel'na!' meddai hen wraig fach oedd ar y palmant yn eu gwylio'n mynd heibio.

Wrth iddyn nhw ddod yn nes at y carchar, roedd y dorf yn cynyddu, ac roedd y cwnstabliaid o leiaf yn falch pan ddaethon nhw i ben eu taith. Dim ond Mr Toby Stevens oedd wedi mwynhau'r siwrnai honno trwy strydoedd Henffordd. Cerddai'n fawreddog o'r tu ôl a'i got ddu ar agor er mwyn i bawb weld ei wasgod goch.

Aeth Twm i mewn i'r carchar trwy ddrws bach cul a hwnnw mewn drws llawer mwy. Dim ond Toby Stevens aeth gydag e. Nawr roedd e'n sefyll mewn stafell gul lle roedd dau o swyddogion y carchar yn eistedd wrth stof fyglyd.

'A! Toby,' meddai un ohonyn nhw gan godi ar ei draed, 'rwyt ti'n brysur y dyddiau 'ma! Cofia, mae'r carchar yma'n ddigon llawn yn barod. Lleidr pen-ffordd?'

Chwarddodd Mr Stevens, ac ysgydwodd ei ben.

'Na,' meddai'r swyddog, dyn bras, mawr, nad oedd wedi ymolchi ers diwrnodau, 'gad i mi ddyfalu.'

Aeth ymlaen at Twm ac edrychodd i fyw ei lygad, yna ar ei ddillad a'i gorff.

'Hym,' meddai'n feddylgar, 'dw i'n barod i fetio mai lleidr pen-ffordd yw hwn, Toby.'

'Na, rwyt ti'n anghywir. Llofrudd y benthyciwr arian.'

'Wel, wel! A'r trugareddau, Toby?'

'Y trugareddau?'

99

'Ha-ha! Toby, paid edrych mor ddiniwed, er mwyn dyn. Y trugareddau – yr elw, ffrind, aur yr hen ddyn – a ges ti hwnnw?'

Ysgydwodd y Rhedwr ei ben. 'Dw i ddim wedi chwilio amdano.'

'Toby, Toby, Toby – wyt ti'n disgwyl i fi gredu peth fel yna?'

'Ond ches i ddim cyfle . . . roedd y cwnstabliaid . . . a hen ŵr bonheddig . . .'

'A!' Fflachiodd llygaid y swyddog. 'Jerry!'

Cododd y dyn oedd yn eistedd wrth y stof. Edrychai yntau hefyd fel pa bai e ddim wedi ymolchi ers wythnos. Dechreuodd fynd trwy bocedi Twm yn frysiog, â bysedd cyfarwydd.

Roedd Twm yn teimlo'n ddig iawn, ond allai e ddim gwneud dim gan fod y ddau gylch dur am ei arddyrnau o hyd. Teimlai'n ddiolchgar iddo adael y rhan fwyaf o'i arian yng ngofal Syr Philip cyn mynd i ymladd â Mat Wells y bore hwnnw.

Daeth bysedd cyflym y swyddog o hyd i dair sofren aur ym mhoced ei wasgod a rhoddodd nhw ar y bwrdd. Cydiodd Mr Toby Stevens yn un ohonyn nhw fel fflach a'i rhoi yn ei boced. Yna plygodd ei ben yn foesgar i'r swyddog tew yn ei ymyl. Gwenodd hwnnw arno, er mwyn dangos ei fod yn cydnabod ei hawl i ran o'r arian.

'Dyna'r cwbwl, Mr Nokes,' meddai'r dyn Jerry, ar ôl gorffen chwilio dillad Twm.

'Y cwbwl!' meddai'r prif swyddog gan ddod yn nes at Twm. 'Ble mae gweddill cyfoeth yr hen ddyn? Ble rwyt ti wedi'i guddio. E?'

Edrychai'n fygythiol ar Twm ond ddywedodd hwnnw ddim gair. Y funud honno meddyliai am yr un sofren felen oedd ar ôl ganddo – y sofren y mynnodd ei fam ei gwnïo y tu mewn i leinin ei got cyn iddo adael Tregaron.

'A!' meddai Mr Nokes. 'Un o'r rhai distaw wyt ti, ife? Un o'r rhai cyfrwys. Aros di, 'machgen i, mae gen i ddigon o amser. Mi fyddi di yma gyda ni tan y Frawdlys. Felly fe fyddi di dan 'y ngofal i am chwech wythnos. Jerry, hebrwng y gŵr bonheddig i un o'n stafelloedd gore ni, os gweli di'n dda.'

'Un funud,' meddai Stevens, 'mae ganddo freichledau sy'n eiddo i mi.' Aeth ymlaen at Twm a rhyddhau ei ddwylo.

Cydiodd Jerry ym mraich Twm a'i arwain at ddrws o farrau haearn. Agorodd hwnnw ag allwedd fawr oedd ynghlwm wrth ei wregys a chafodd Twm ei hunan mewn coridor hir a chelloedd ar bob ochr iddo. Trwy farrau haearn y drysau edrychai carcharorion o bob lliw a llun arno'n mynd heibio. Roedd y rhan fwyaf ohonyn nhw'n edrych yn fwy tebyg i fwganod brain nag i ddynion. Dechreuodd rhai ohonyn nhw chwerthin yn uchel am ei ben a gwaeddodd un neu ddau ar ei ôl, ond edrychai'r lleill yn fud ac yn drist fel petaen nhw'n cydymdeimlo ag e.

'Aros!' gwaeddodd Jerry. Safodd o flaen drws un o'r celloedd. Aeth Jerry at y drws a chlywodd Twm yr allwedd yn y clo. Yna cafodd ei wthio i mewn drwy'r drws agored a chaeodd y drws yn gyflym ar ei ôl. Doedd fawr o olau yn y gell, er ei bod hi'n olau dydd tu allan. Ond roedd yno ddigon o olau i Twm allu gweld bod tri carcharor arall yn y gell – un yn pwyso ar y mur moel, un yn gorwedd ar fatras gwellt yn y gornel, a'r llall yn sefyll ar ganol y llawr.

Clywodd yr allwedd yn troi yn y clo ac yna sŵn traed Jerry'n pellhau.

Roedd Twm Siôn Cati yn y carchar am y tro cyntaf yn ei fywyd.

Pennod 15

Safai Ledi Eluned wrth ffenest y plas yn edrych allan ar y glaw'n disgyn yn gyson ar y lawnt ac ar y lôn oedd yn arwain at y tŷ. O'r coed mawr ym mhen draw'r lawnt cipiai'r gwynt ambell ddeilen grin a'i thaflu at y ffenest.

Roedd hi'n hydref yn barod, a doedd y rhan fwyaf o ffermwyr Tregaron ddim wedi cael eu gwair i mewn eto, heb sôn am y cnydau eraill. Haf oer a gwlyb a gawson nhw, ac roedd yr hydre'n bygwth bod yn waeth fyth.

Doedd hyd yn oed yr hen bobl ddim yn cofio am haf gwaeth; a dyma hi'n hydref a'r haidd a'r ceirch a'r barlys yn gorwedd yn y caeau yn wlyb domen.

Daeth teimlad o dristwch ac anobaith dros wraig ifanc y plas wrth wylio'r glaw yn dod i lawr. Roedd hi'n gwybod bod gaeaf creulon yn aros ffermwyr bach Tregaron os na fyddai'r haul yn dod allan cyn bo hir.

Roedd tair wythnos wedi mynd heibio ers pan aeth Twm Siôn Cati i ffwrdd i Lundain ar gefn y gaseg ddu. Roedd e'n hir yn dod 'nôl.

103

Ond cofiodd wedyn iddi ddweud wrtho am beidio â brysio adre. Pam y dywedodd hi hynny wrtho? Byddai dim yn well ganddi na'i weld yn dod i fyny'r lôn at y plas y funud honno.

Edrychodd tua'r llwyn rhododendron ym mhen draw'r lawnt, lle roedd y lôn yn troi a diflannu i gyfeiriad y ffordd fawr, fel pe bai'n disgwyl gweld pen y gaseg ddu'n dod i'r golwg unrhyw eiliad.

Meddyliodd am Twm a'r gaseg. Cofiodd yr hylabalŵ wedi i Twm ddianc o Dregaron ar gefn y gaseg. Fe fu cwnstabliaid y wlad ar ei ôl nes i'r doctor a Martha, hen forwyn y plas, brofi fod ei thad-yng-nghyfraith, Syr Harri Prys, wedi dweud ar ei wely angau mai Twm oedd i gael y gaseg. Roedd yr hen Syr Harri'n gwybod y byddai ei fab ei hunan – Syr Anthony – yn ei gwerthu, ac y byddai'r brid enwog, oedd wedi bod yn stablau'r Dolau am gymaint o flynyddoedd, yn mynd i ddwylo dieithriaid. Roedd Twm yn meddwl y byd o'r gaseg! (Hwyrach fod yr hen Syr Harri'n meddwl am hynny hefyd y noson honno pan oedd ar fin marw.) Oedd, roedd Twm yn meddwl y byd o'r gaseg, mwy nag am ddyn (na dynes) yn yr holl fyd, meddyliodd Ledi Eluned wrthi'i hunan, a hanner gwên fach yn chwarae o gwmpas ei gwefusau.

Doedd fawr neb yn gwybod, hyd yn oed ar ôl

tair blynedd, mai Twm oedd perchennog cyfreithiol y gaseg. Roedd mwy nag un wedi cynnig pris da iddi hi amdani. Doedd hi ddim wedi trafferthu dweud yr hanes wrth bawb oedd eisiau prynu'r gaseg. Cofiodd iddi geisio egluro'r amgylchiadau i Syr Tomos Llwyd unwaith, ond chwerthin am ei phen a'i galw'n wirion wnaeth hwnnw.

Trodd oddi wrth y ffenest ac eisteddodd wrth y tân. Fe deimlai'n unig iawn y funud honno. Roedd ei thad wedi mynd adre i Giliau Aeron ond roedd hi'n gwybod y byddai'n dod yn ôl i Dregaron eto unrhyw ddiwrnod.

Roedd e a Syr Tomos wedi cynllunio iddi briodi Robert, etifedd Ffynnon Bedr, ac roedd hi'n adnabod ei thad yn ddigon da i wybod y byddai'n gwneud ei orau i weld hynny'n digwydd. Roedd eisoes wedi trio popeth i'w chael hi i addo priodi Robert. Allai e ddim deall o gwbwl pam roedd hi'n gwrthod. 'Ond dw i ddim yn 'i garu fe, 'Nhad bach,' meddai nawr yn uchel wrth y stafell wag, a dychmygodd glywed ei thad yn chwerthin neu'n rhochian yng nghorn ei wddf wrth ei chlywed yn cynnig esgus mor wan dros beidio â derbyn yr anrhydedd o gael etifedd Ffynnon Bedr yn ŵr iddi.

Fe allai fod wedi dweud rhagor. Fe allai fod wedi ychwanegu ei bod hi'n caru un arall.

Cododd ac aeth unwaith eto at y ffenest. Roedd hi'n dechrau tywyllu a'r glaw'n dal i ddod i lawr. Roedd pyllau o ddŵr bawlyd ar y lôn erbyn hyn, ac roedd ffrwd frown yn rhedeg heibio i'r ffenestr. A oedd e allan yn y glaw mawr yma? A oedd e'n rhuthro'n ôl tua Tregaron y funud honno?

Yna meddyliodd ei bod yn clywed sŵn pedolau! Rhaid mai ei chlustiau oedd yn ei thwyllo neu ei dychymyg yn chware triciau â hi. Clustfeiniodd wedyn. Oedd, roedd hi'n clywed sŵn pedolau, a'r rheiny'n nesáu at y plas!

Agorodd y ffenest a chwythodd y gwynt y glaw i'w hwyneb. Roedd sŵn y ceffyl yn glir nawr. Edrychodd i lawr tua'r tro yn y lôn. Byddai rhywun ar gefn ceffyl yn dod i'r golwg fan honno unrhyw funud. Ai Twm Siôn Cati oedd e? Teimlodd ei chalon yn cyflymu.

Fe ddaeth pen y ceffyl i'r golwg heibio i'r tro, ond gwelodd ar unwaith mai merlyn bach llwyd a bachgen pedair ar ddeg oed ar ei gefn oedd yn nesáu at y plas. Sylweddolodd Ledi Eluned pwy oedd y bachgen yn syth. Sei Bach, mab tafarn Llwyn-yr-hwrdd – y dafarn fwyaf yn Nhregaron.

Daeth y merlyn yn gyflym i fyny'r lôn at ddrws ffrynt y plas. Pan oedd y bachgen ar fin troi at y drws, gwelodd Ledi Eluned yn y ffenest.

'Llythyr i chi, mei ledi, wedi dod gyda'r goets o Lunden.'

'Llythyr i fi o Lunden?' meddai hithau mewn syndod.

Estynnodd ei llaw amdano ac edrychodd ar y llawysgrifen. Roedd hi wedi ei gweld o'r blaen, ond allai hi ddim meddwl ar y funud pryd na ble.

'Diolch Sei,' meddai, 'mae'n arw on'd yw hi?'

'Ydy. Mae llif mawr yn yr afon! Roedd y goets ddwy awr yn hwyr yn cyrraedd – wedi mynd i'r ffos yn rhywle, medden nhw.'

'O'r annwyl! Chafodd neb niwed, gobeithio!'

'Naddo, ond roedd Wil Pritchard y gyrrwr yn ddrwg iawn 'i dymer pan gyrhaeddodd e . . . ac roedd golwg ar y ceffyle.'

Edrychodd Ledi Eluned yn eiddgar arno. Wedi ychydig dawelwch, gofynnodd iddo,

'Doedd dim newydd cyffrous gan Wil Pritchard, oedd e?'

Tawelwch eto. Doedd Sei ddim yn siŵr a ddylai ddweud wrthi ai peidio. Ond roedd hi'n edrych mor eiddgar, a beth bynnag, byddai'n siŵr o glywed yr hanes gan rywun arall.

'Fe ddwedodd Wil Pritchard 'i fod e wedi clywed bod y gaseg ddu wedi ennill ras yn Lloegr, a'i bod hi'n rhedeg mewn ras fowr arall yn Llunden yr wythnos 'ma.'

Ar ôl dweud ei stori chwiliodd Sei wyneb gwraig ifanc y plas i weld sut roedd hi wedi derbyn y newydd. Gwelodd ei bod hi'n gwenu'n siriol arno a theimlodd yn hapusach ei feddwl.

'Oedd e wedi gweld Twm?' gofynnodd. Ysgydwodd Sei ei ben.

'O,' meddai hi, 'wel, rhaid i ti beidio aros yn y glaw. Dyma rywbeth bach i ti am ddod â'r llythyr.'

Ar ôl i Sei fynd caeodd y ffenest. A dyna lle roedd y gwalch! Gwenodd wrthi'i hunan. Roedd Twm wrth ei fodd wrth gwrs – yn cael hwyl braf – a hithau'n dechrau ofni bod rhywbeth wedi digwydd iddo! Yna rhoddodd ei sylw i'r llythyr yn ei llaw. Torrodd y sêl, a chan fod y stafell wedi mynd yn bur dywyll erbyn hyn, aeth yn ôl at y ffenest i'w ddarllen.

Daliodd ei hanadl pan welodd y cyfeiriad ar ben y llythyr.

Temple Mansions
Holborn
Llundain
20 Medi 1776

Madam,

Aeth tair wythnos heibio er pan ysgrifennais atoch, ac nid wyf wedi derbyn yr arian sy'n ddyledus i mi nac wedi clywed gair oddi wrthych. Gan imi egluro i chi ei bod yn angenrheidiol imi gael yr arian yma ar unwaith, ac rwy'n synnu'n fawr na fuaswn wedi ei dderbyn cyn hyn. Rhaid i mi eich rhybuddio yn awr y byddaf yn rhoi'r mater yn nwylo'r Gyfraith oni chlywaf oddi wrthych cyn pen pythefnos.

Arwyddwyd,

John Sbens.

Gwasgodd Ledi Eluned y llythyr yn belen fach gron yn ei llaw. Eisteddodd ar ei chadair wrth y tân. Erbyn hyn roedd y stafell yn dywyll a doedd dim sŵn ond sŵn y gwynt yn y coed tu allan a sŵn drip, drip diflas y glaw o fargodion y tŷ.

'Dyw e ddim wedi talu'r ddyled i Syr John!' Ond beth oedd e wedi'i wneud â'r rhaff berlau? Beth oedd ei thad wedi'i ddweud? 'Rhoi gofal yr ŵydd i'r cadno?'

Fan honno wrthi'i hunan yn yr hanner tywyllwch fe deimlodd yn sydyn nad oedd ganddi ddim un ffrind yn y byd i gyd. A oedd Twm wedi gweld ei gyfle ac wedi gadael Tregaron am byth? Gyda'r arian am y rhaff berlau, a'r arian am rasio'r gaseg, gallai fyw'n gyfforddus yn Lloegr. Ond roedd e'n mentro aros yng nghyffiniau Llundain. Roedd pobl o Gymru – pobl oedd yn ei adnabod – yn mynd i Lundain yn aml. A oedd Twm yn gwybod na fyddai hi byth yn mynd at y Gyfraith?

Gallai glywed ei thad yn dweud nawr, 'Ddwedes i ddigon wrthyt ti, on'd do fe?'

Yna dechreuodd feddwl beth fyddai'n digwydd petai hi'n dweud wrth ei thad beth oedd wedi digwydd. Byddai'n rhaid iddi ddweud wrtho oherwydd byddai'n rhaid iddi gael benthyg arian ganddo i dalu Syr John. Allai hi ddim benthyg gan neb arall. Ond roedd hi'n gwybod ar ba delerau y byddai e'n barod i'w helpu. Cyn i'w thad dalu'r ddyled drosti byddai'n rhaid iddi addo priodi Robert Ffynnon Bedr. Ac unwaith byddai ei thad yn clywed am yr hyn oedd wedi digwydd, allai hi na neb arall ei rwystro rhag troi'r Gyfraith ar Twm.

Pennod 16

Yn ei gell yng ngharchar Henffordd roedd Twm Siôn Cati'n eistedd â'i ddwy ben-glin o dan ei ên, yn gwrando ar y gloch yn canu. Roedd e'n gwybod bod pob carcharor arall yn yr adeilad yn gwrando'n astud y funud honno ar yr un sŵn, a doedd neb yn y carchar nac yn Henffordd chwaith nad oedd yn gwybod pam roedd y gloch yn canu. Roedd hyd yn oed y plant bach ar y stryd yn gwybod bod rhywun yn cael ei grogi. Ac roedd y rhan fwyaf yn gwybod pwy oedd yn cael ei arwain i'r crocbren y funud honno. Hwn oedd diwrnod crogi Joe King, y lleidr pen-ffordd. Am dair wythnos roedd y lleidr a Twm wedi byw yn yr un gell, ac yn ystod yr amser hwnnw roedd y ddau wedi dod i adnabod ei gilydd yn dda. Nawr, a'r gloch yn dal i ganu, meddyliodd Twm yn ddwys iawn am y dyn rhyfedd yma. Awr yn ôl, roedd wedi codi o'i wely gwellt a mynd gyda'r tri swyddog â gwên ar ei wyneb. Roedd gan un o'r swyddogion wyneb hir, gofidus.

Gan droi at y prif swyddog, gofynnodd, y lleidr pen-ffordd, 'Mae gen i un cais, syr, cyn mynd.'

Gwgodd y swyddog. 'A beth yw hwnnw?'

'Rwy'n poeni peth, syr, am fy nghrys.'

'Dy grys?'

'Ie. Mae'n debyg y bydd yna lawer o bobol yn dod i 'ngwylio i'n dawnsio, ac mae 'nghrys i'n frwnt, syr. Does dim posib cael crys glân, oes e?'

Gwenodd y prif swyddog ac edrychodd y lleill arno gydag edmygedd. Roedd y dyn yma ar ei ffordd i'w grogi, a'r unig ofid oedd arno oedd bod ei grys yn frwnt!

Ond doedd gan y tri swyddog ddim amser i smalio, a chyn bo hir roedd Joe King wedi mynd a drws y gell wedi cau, a theimlai Twm yn rhyfedd wrth feddwl iddo fynd i'w daith olaf yn ei grys brwnt wedi'r cyfan.

Yn sydyn tawodd y gloch a disgynnodd distawrwydd llethol dros y carchar i gyd – fel petai pawb yn gwrando. Gallai Twm ddychmygu tyrfa fawr yn gwylio Joe King yn dringo'r grisiau i'r crocbren. Bron y gallai glywed ffyliaid yn gweiddi arno ac yn ei wawdio. Ond roedd e'n gwybod y byddai gan y lleidr pen-ffordd wên ac ateb parod i bawb. Roedd Twm wedi gweld dau arall yn gadael y gell yn ystod ei dair wythnos yno. Cafodd un fynd yn rhydd, ac aeth y llall i'w grogi. Gwas un o ddynion busnes y dref oedd wedi ei ryddhau. Roedd wedi cael ei gyhuddo o ddwyn arian ei feistr, ond, wedi ei roi yn y carchar, daeth tystiolaeth i'r golwg i brofi nad oedd yn euog.

Dyn o'r enw Phelps oedd wedi mynd i'w grogi. Roedd wedi ymosod ar wraig maer y dref un noson pan oedd hi ar ei ffordd yn ôl o ginio yn nhŷ perthynas iddi. Cafodd y dihiryn ei ddal wrthi, ac er nad oedd wedi niweidio'r wraig na dwyn oddi arni, cafodd ei ddedfrydu i farw.

Nawr roedd Twm ar ei ben ei hunan yn y gell. Yn ystod y dyddiau cyntaf roedd y swyddog – Nokes – wedi bod yn gas iawn tuag ato, ond wedyn, ryw brynhawn, daeth ato i'r gell â llythyr oddi wrth Syr Philip Townsend. Dywedai'r llythyr fod popeth posibl yn cael ei wneud i helpu Twm. Byddai Syr Philip yn gofalu am y cyfreithwr gorau o Lundain i'w amddiffyn pan fyddai ei achos yn dod o flaen y Frawdlys, a byddai'r porthmon a Wilf yno i roi tystiolaeth. Doedd Syr Philip yn amau dim na châi Twm ei ryddhau heb unrhyw drafferth cyn gynted ag y byddai'r Llys yn clywed yr hanes i gyd. Yn y cyfamser byddai'n cymryd pob gofal o'r gaseg ac yn ceisio'i defnyddio hi i ennill digon o arian i dalu dyled Ledi Eluned a chostau'r cyfreithiwr, gan mai dyna oedd dymuniad Twm. Roedd hi'n hawdd deall oddi wrth y llythyr fod yr hen ŵr bonheddig yn poeni'n arw fod Twm yn gorfod treulio chwe wythnos yn y carchar i ddisgwyl y Frawdlys.

Yn wir, roedd bywyd y carchar yn gwasgu ar ysbryd Twm. Âi'r dyddiau heibio o un i un. Ychydig o olau dydd oedd yn dod i mewn drwy'r ffenest fach uchel, a phrin y gallai gadw cyfrif o'r diwrnodau.

Yn sydyn sylweddolodd fod rhywrai'n sefyll tu allan i'r drws. Clywodd sŵn allwedd yn y clo ac yna roedd rhywun wedi ei wthio i mewn i'r gell ato, a'r drws wedi ei gloi drachefn.

Nawr roedd dyn byr, tew, tua hanner cant oed yn sefyll ar ganol llawr y gell â golwg ryfedd ar ei wyneb. Edrychai'n wyllt o'i gwmpas. Gwelodd Twm yn gorwedd ar y gwellt yn y gornel a rhythodd arno mewn dychryn. Yna aeth i'r gornel arall, bellaf oddi wrth Twm, a phwyso ar y wal heb ddweud yr un gair. Doedd Twm ddim yn teimlo fel dweud dim wrtho, ac felly roedd yna dawelwch rhyngddyn nhw am amser hir. Sylwodd Twm fod y carcharor newydd yn ei wylio'n ofalus ond yn slei.

'Gafodd Joe King ei grogi?' gofynnodd Twm ymhen tipyn.

Atebodd y dyn ddim, dim ond edrych yn ofnus arno trwy gil ei lygad. Roedd yna ddistawrwydd rhyngddyn nhw eto.

'Roedd Joe King yn cysgu yn y gell yma neithiwr,' meddai Twm wedyn.

'Yn cysgu yn y gell yma? Joe King! Nefoedd fawr!' Roedd y carcharor newydd wedi dod o

114

hyd i'w dafod o'r diwedd. Cododd ar ei draed a cherdded yn syth at ddrws haearn y gell. Gwyliodd Twm e'n syn.

'Pam? Oes rhywbeth yn rhyfedd yn y ffaith fod Joe King wedi cysgu yn y gell yma neithiwr?' gofynnodd.

Cydiodd y carcharor newydd ym marrau haearn y drws. 'Ond roedd Joe King yn lleidr pen-ffordd! Yn llofrudd! Ddylsen nhw ddim bod wedi fy rhoi i yn y gell yma gyda phobol fel Joe King – dw i ddim wedi gneud dim byd!'

Trodd i edrych ar Twm wrth ddwedud hyn.

'Mae pethau felna'n digwydd. Roedd Joe King yn dweud nad oedd e ddim wedi lladd neb erioed. Ond fe aethon ag e i'w grogi'r bore 'ma,' meddai Twm yn dawel.

'Ond roedd e'n lleidr pen-ffordd! Roedd e'n haeddu cael 'i grogi! A . . . a thithe . . . beth wyt ti wedi'i wneud?' Yn union ar ôl gofyn y cwestiwn yma, edrychai'r dyn bach tew fel petai'n difaru holi – fel pe bai'n ofni clywed ateb Twm.

'Maen nhw'n dweud mai fi lofruddiodd y benthyciwr arian.'

'Llofruddio'r benthyciwr arian!' Gwasgodd y carcharor newydd ei gorff tew yn erbyn y drws, fel petai'n ceisio gwthio'i hun trwy'r barrau haearn. Yna dechreuodd weiddi nerth ei geg, 'Help! Help! Help!'

115

Cyn bo hir roedd sŵn traed yn y coridor a daeth y swyddog Nokes i'r golwg.

'Wel, beth yw'r mwstwr 'ma? Ti oedd yn gweiddi?' gofynnodd, gan edrych yn ffyrnig ar y dyn bach tew.

'Ie, syr,' meddai hwnnw.

'Pam roeddet ti'n gweiddi'r cnaf? Mae pobl sy'n achosi cynnwrf yn y carchar yn cael eu cosbi. Wel?'

'Rwy i am gael fy symud. Rwy am gell i mi fy hun . . . fedra i ddim . . .'

'A! Rwyt ti am gell i ti dy hunan wyt ti? Wel, wel! Ac rwyt ti am weision a morynion wrth gwrs, a cherbyd i fynd â ti o fan i fan.'

'Syr, dy'ch chi ddim yn deall. Rwy'n protestio 'mod i wedi cael fy rhoi mewn cell gyda lladron pen-ffordd a llofruddion. Rwy i'n ddyn busnes adnabyddus yn y dre, syr, a dw i ddim wedi torri'r gyfraith.'

Cydiodd Nokes yng ngholer ei got trwy'r barrau.

'Gwranda, mae'n rhaid dy fod ti wedi torri'r gyfraith neu fuaset ti ddim yma. Nawr, rwy'n ddyn caredig. All neb ddweud bod Fred Nokes yn galon-galed. Ond rwy'n hoffi tawelwch, ydw, rwy'n hoffi tawelwch, ac o hyn ymlan, fe fydd hi'n talu'r ffordd i ti gofio hynny . . . wyt ti'n deall?'

Gwthiodd y dyn bach, tew oddi wrtho gyda'r

fath nerth nes i hwnnw gwympo'n sydyn ar ei ben-ôl ar lawr y gell.

Aeth y swyddog i ffwrdd ond doedd dim brys ar y dyn tew i godi. Eisteddai yno'n dawel fel petai wedi anobeithio'n llwyr. Yna sylwodd Twm fod ei ysgwyddau'n mynd i fyny ac i lawr yn rheolaidd. Cododd ar ei draed ac aeth yn nes ato. Pan gafodd olwg ar ei wyneb gwelodd ei fod yn crio'n ddistaw a'r dagrau'n rhedeg i lawr dros ei fochau tew. Estynnodd Twm ei law gan feddwl ei godi oddi ar y llawr.

'Paid â chyffwrdd â mi!' gwaeddodd y dyn bach mewn dychryn. Ond wedyn cododd ac aeth yn ôl i gornel y gell a gorweddodd ar y gwellt.

Roedd hi'n dechrau tywyllu yn y gell erbyn hyn a phrin y gallai Twm a'r carcharor newydd weld ei gilydd. Cyn bo hir fe fyddai mor dywyll â bol buwch.

'Doedd yr hyn a ddywedodd Nokes ddim yn wir,' meddai Twm, ar ôl cyfnod hir o dawelwch. Erbyn hyn yr unig olau oedd i'w weld oedd y golau gwan o gyfeiriad drws y gell, o'r lamp olew oedd yn hongian yn nes i lawr ar fur y coridor.

Tawelwch eto, yna gofynnodd y dyn tew yn sydyn,

'Beth oedd ddim yn wir?'

'Fe ddywedodd Nokes fod rhaid i ddyn

117

dorri'r gyfraith cyn gorfod mynd i'r carchar. Thorrais i ddim mo'r gyfraith; efallai fod yr un peth yn wir amdanat ti?'

'Ond fe ddwedest ti mai ti oedd wedi llofruddio'r benthyciwr arian!'

'Fe ddwedes i eu bod *nhw*'n dweud hynny. Ond nid fi laddodd e.'

'Hy! Mae'n naturiol i ti wadu wrth gwrs; mae pawb yn gwadu . . .'

Roedd ei lais yn llawn gwawd yn y tywyllwch, a theimlodd Twm yn ddig wrtho.

'Os wyt ti'n dweud bod pawb yn gwadu, mae hynny'n wir amdanat ti hefyd 'te?'

'Cael 'y nhwyllo wnes i!' Roedd llais y dyn tew yn crynu. 'Fe rois i fenthyg arian – pedwar can punt i gyd – i ŵr bonheddig. Fe addawodd 'u talu nhw'n ôl . . . ond mae e wedi mynd heb dalu'r un ddime goch.'

Bu distawrwydd wedyn am dipyn.

'Mae'n syndod mor dwyllodrus y gall gwŷr bonheddig fod. Roedd gen i fusnes – siop ddillad – ac ro'n i'n dod mlan yn y byd. Roedd pobol ore Henffordd yn prynu gen i. Dyna oedd dechre'r drwg. Fe ddaeth Syr Henry Mortimer, gŵr bonheddig mawr o Lundain, i'r siop ryw ddiwrnod i gael ei fesur am ddillad. Roedd e'n gyfeillgar iawn. Fe fuodd yn cael te gyda ni, ac fe wahoddodd y wraig a minnau i swper. Do'n ni ddim wedi delio â byddigion o'r blaen, ac rwy'n ofni i ni golli tipyn arnon ni'n hunain. Fe ddaeth nifer o ffrindie Syr Henry i gael eu fesur am ddillad. Doedden nhw ddim yn talu i lawr – fydd gwŷr bonheddig byth yn gwneud. Wedyn fe ofynnodd Syr Henry am fenthyg dau gan gini. Oni bai am fy ngwraig rwy'n meddwl y baswn i wedi gwrthod . . .'

Aeth y stori ymlaen ac ymlaen. Doedd Twm ddim yn talu llawer o sylw iddi erbyn hyn – roedd ei diwedd mor amlwg.

'Wel,' meddai'r llais o'r tywyllwch, 'trannoeth y ras fe es i i'r Golden Eagle fel roedden ni wedi cytuno, i gasglu'r arian. Roedd y goets i Lundain yn sefyll o flaen y drws, a'r gyrrwr ar y bocs yn barod i adael. Fe welais wyneb Syr Henry trwy ffenest y goets. Ond y funud honno dyma nhw'n mynd. Fe waeddais ar Syr Henry ond chymerodd e ddim sylw. Fe redais ar ôl y goets am dipyn, ond wrth gwrs roedd y ceffylau'n mynd yn rhy gyflym i mi. Cyn iddyn nhw fynd o'r golwg heibio i'r tro, fe welais Quinn, gwas Syr Henry, yn codi'i law ac yn chwerthin . . .'

Mewn amrantiad roedd Twm yn gwrando'n astud.

'A dyma fi, John Higgins, oherwydd ffolineb fy ngwraig, ac oherwydd twyll gwŷr bonheddig, wedi 'nhaflu i garchar. Mae arna i chwe chant a hanner o ddyled, a does gen i ddim gobaith eu

thalu. Felly, mae'n debyg mai fan yma y bydda
i . . .'

'Beth ddywedaist ti oedd enw gwas Syr
Henry?' gofynnodd Twm yn dawel.

'Enw gwas Syr Henry? Quinn. Pam?'

Caeodd Twm ei ddyrnau yn y tywyllwch.
Funud yn ôl roedd anobaith bywyd y carchar yn
drwm arno. Nawr roedd ei feddwl yn gwbwl
effro unwaith eto. Sylweddolodd fod ffawd yn ei
ffordd ryfedd wedi ei helpu. O'r blaen, rhywun
ymysg y miloedd o bobl oedd Quinn, ond nawr
roedd e'n gwybod pwy oedd e – gwas Syr
Henry Mortimer! Fe fyddai'n hawdd dod o hyd
iddo petai'n cael mynd yn rhydd o'r carchar.

'Dyn llwyd 'i wyneb oedd e, a'i ben yn
dechrau mynd yn foel, a dillad duon?'

'Ie. Oeddet ti'n 'i nabod e? Synnwn i ddim.
Mae'n amlwg nawr mai dihiryn oedd e.'

Allai Twm ddim llai na deall yr awgrym oedd
yn y geiriau, ac unwaith eto teimlodd yn ddig
tuag at y siopwr hunangyfiawn.

Pennod 17

Ceisiodd Twm ddyfalu faint o'r gloch oedd hi. Wyth? Naw? Cytunodd mai tua naw oedd hi. Doedd e a Higgins ddim wedi torri gair â'i gilydd ers dwy awr o leiaf. Roedd rhywun yn un o'r celloedd eraill wedi bod yn gweiddi'n uchel rhyw bum munud yn ôl; wedyn clywodd Twm ddrws yn agor, llais uchel Nokes, yna un waedd uwch na'r lleill a thawelwch. A hynny roddodd y syniad ym mhen Twm. O'r funud y clywodd stori'r siopwr daeth awydd cryf drosto am fod allan ar y ffordd fawr ar drywydd Quinn, a thrwyddo fe, berlau Ledi Eluned. Roedd e'n gwybod yn ei galon na allai fod yn dawel nes dod wyneb yn wyneb â Quinn unwaith eto. Nawr roedd y syniad gwyllt yma am ddianc yn troi a throi yn ei feddwl. Un funud byddai'n dweud wrtho'i hunan fod y cynllun yn un gwallgof; doedd dim gobaith iddo lwyddo. Ond y funud nesa byddai'n siŵr fod y cynllun mor syml nes bod rhaid iddo lwyddo. Beth bynnag, unwaith roedd y syniad am ddianc wedi dod iddo, allai e ddim bod yn dawel nes rhoi cynnig arno.

Gallai glywed y siopwr yn anadlu yn y tywyllwch, ond ar wahân i hynny roedd y carchar mor dawel â'r bedd. A oedd e'n cysgu? Roedd Twm yn teimlo'n gynhyrfus. A oedd hi'n well aros am dipyn? Pryd oedd yr amser gorau i drio'r cynllun? Ar unwaith, neu yn nyfnder nos? Yna penderfynodd yn sydyn.

Cododd, a rhoi naid trwy'r tywyllwch i gornel arall y gell. Disgynnodd ar ben y siopwr. Dechreuodd hwnnw weiddi cyn i ddim byd arall ddigwydd iddo. Yna cafodd Twm afael yn ei glustiau a dechrau tynnu. Aeth sgrechfeydd y siopwr drwy'r carchar i gyd. Roedd y truan yn credu bod ei ddiwedd wedi dod. Fe geisiodd wingo i'w ryddhau ei hun, ond roedd Twm yn dal i dynnu wrth ei glustiau. Roedd ei sgrechfeydd nawr yn annaearol, ond trwy'r cwbwl roedd Twm yn trio clustfeinio am sŵn traed yn y coridor. Ond y peth cyntaf a welodd oedd golau yn nrws y gell. Roedd rhywun yno â lamp yn ei law. Tynnodd Twm yn galetach wrth glustiau Higgins, a rhoddodd hwnnw sgrech oerllyd arall. Agorodd drws y gell a gwelodd Twm fod dau swyddog wedi cerdded i mewn. Doedd e ddim wedi disgwyl mwy nag un.

'Beth yn y byd sy'n mynd mlan 'ma?' Llais Nokes. 'Jerry, rwy am i ti hanner lladd y ddau ohonyn nhw!'

Yr eiliad honno gollyngodd Twm ei afael yng

nghlustiau'r siopwr a throi fel llysywen yn y gwellt. Cydiodd yng nghoesau Jerry. Un plwc, ac roedd hwnnw ar ei hyd ar y llawr. Yna cododd Twm ar ei draed a chyrraedd cic at y lamp yn llaw Nokes. Aeth yn deilchion ar lawr y gell a diffodd. Yn y tywyllwch teimlodd ddwylo Nokes yn cyffwrdd â'i gorff. Neidiodd o'i afael a mynd am y drws agored.

Cyn gynted ag y daeth allan i'r coridor dechreuodd Twm redeg nerth ei draed. Gallai glywed Nokes yn gweiddi rhywbeth ar dop ei lais. Ym mhen draw'r coridor roedd drws haearn mawr, a hwnnw ar agor. Wrth redeg heibio i ddrysau'r celloedd gallai Twm weld wynebau llwyd y carcharorion eraill yn ei wylio. Gallai glywed eu lleisiau'n gweiddi tu ôl iddo. Daeth y drws agored yn nes. Yna gwelodd swyddog arall yn sefyll ym mhen draw'r coridor. Doedd e ddim wedi bargeinio am hyn. Pan ddaeth e i mewn i'r carchar dim ond Nokes a Jerry oedd yno. Fe geisiodd redeg yn gynt. Ond roedd y swyddog wedi sylweddoli beth oedd yn digwydd. Cydiodd yn y drws mawr i'w gau yn wyneb Twm. Wrth iddo garlamu i lawr y coridor gallai Twm weld y drws yn cau yn ei erbyn. Gwnaeth un ymdrech arall a'i daflu'i hun yn erbyn y drws eiliad cyn i'r swyddog wthio'r bollt i'w le. Disgynnodd Twm ar y barrau haearn â'r fath nerth nes brifo'i gorff i gyd. Ond ar yr un pryd roedd y drws wedi agor eto, mor sydyn nes brifo'r swyddog hefyd. Roedd hwnnw'n gorwedd ar y llawr â gwaed yn llifo o glwyf ar ei dalcen. Gorweddai heb symud gewyn a'i lygaid ynghau. Tu ôl iddo gallai Twm glywed bedlam o sŵn. Cyn gwneud dim arall brysiodd i gau'r drws haearn mawr rhyngddo a gweddill y carchar. Roedd wedi sylweddoli mai'r drws yma oedd yn diogelu'r carchar i gyd, gan nad oedd neb yn gallu ei agor o'r tu mewn. Felly, doedd gan yr un carcharor obaith mynd yn rhydd tra byddai'r drws yma ynghau. Gan fod Jerry a Nokes yr ochr arall i'r drws fe deimlai Twm ei obaith yn codi. Aeth at y drws bach hwnnw y daeth i mewn drwyddo dair wythnos ynghynt. Roedd yr allwedd yn y clo!

Cydiodd yn yr allwedd a'i throi. Teimlodd y drws yn agor. Yna, cyn mynd allan, edrychodd dros ei ysgwydd. Roedd Nokes wedi cyrraedd y drws haearn. Edrychai ar Twm yn fud a golwg fel pe bai'n gwrthod credu ar ei wyneb brwnt. Aeth Twm drwy'r drws â'r allwedd yn ei law.

Roedd hi'n dywyll tu allan, yn enwedig yng nghysgod drws mawr y carchar. Clodd y drws a thaflodd yr allwedd i'r gwter wrth ymyl y palmant. Safodd am funud yn y cysgodion yn sugno awyr iach i'w ysgyfaint. Cododd ei ben ac edrychodd ar yr awyr. Roedd hi'n noson glir, wyntog, ddileuad, a'r sêr yn edrych yn hynod o gyfeillgar ac agos ato. Yna clywodd sŵn canu aflafar a sŵn traed yn nesáu tuag ato. Gwasgodd yn dynnach i'r cysgodion. Aeth dau ddyn meddw heibio fraich ym mraich. Ar ôl iddyn nhw fynd sleifiodd Twm ymaith trwy'r tywyllwch i'r cyfeiriad arall. Wrth fynd, fe deimlai yntau awydd canu hefyd. Roedd yn rhydd unwaith eto!

Pennod 18

Gorweddai Twm ar bentwr o wellt glân ar lawr hen sgubor yng nghefn tafarn y Green Dragon, yn gwrando ar y glaw'n disgyn ar y to. Cafodd hawl i aros yno gan osler y Green Dragon, oedd wedi ei weld yn nesu at y dafarn pan oedd hi'n dechrau tywyllu. Rhaid bod yr osler wedi gweld golwg flinedig iawn arno, oherwydd, cyn i Twm gael cyfle i ofyn dim iddo, dywedodd, 'Rwyt ti am le i orwedd, gwlei?'

A dweud y gwir, roedd Twm wedi meddwl cerdded ymlaen tua Llundain am rai oriau wedyn tan gysgod nos, ond gan ei bod hi wedi dechrau bwrw glaw eto, roedd yn falch o dderbyn cynnig yr osler caredig.

'Dwyt ti ddim wedi gwneud dim byd drwg, wyt ti?' gofynnodd yr osler gan edrych arno'n fanwl, cyn gadael iddo fynd i'r sgubor. Edrychodd Twm i fyw ei lygad.

'Na, dw i ddim wedi gwneud dim byd drwg.'

'Dyna ti 'te.'

A nawr wrth wrando sŵn y glaw roedd Twm yn falch fod ganddo le i orwedd a tho uwch ei ben. Ar yr un pryd teimlai'n anesmwyth. Fe ddylai fod ar ei daith tua Llundain. Roedd pedwar diwrnod wedi mynd heibio ers pan ddihangodd o garchar Henffordd ac roedd milltiroedd lawer rhyngddo a'r dref honno erbyn hyn. Eto, roedd milltiroedd rhyngddo a Llundain hefyd. Wrth orwedd fan honno yn y tywyllwch, rhedodd ei feddwl yn ôl dros y pedwar diwrnod a aeth heibio. Pedwar diwrnod o redeg, cuddio ac o osgoi pentrefi a thai a phobl, pedwar diwrnod o brinder bwyd a phrinder cwsg. A oedden ar ei ôl o hyd?

Roedd ei draed yn boenus a'i sgidiau'n dyllog wedi'r holl gerdded. Edrychai ei ddillad hefyd yn fawlyd ac yn garpiog. Cododd ei law at ei ên a theimlodd y farf ddu, arw oedd wedi tyfu yno.

'Rhaid 'mod i'n edrych fel bwbach y brain!' meddai wrtho'i hun.

Yn sydyn clywodd sŵn corn yn canu yn y pellter. Doedd dim angen dweud wrtho beth oedd yno. Y Goets Fawr – ar ei ffordd i Lundain, mwy na thebyg. Rhaid ei bod hi'n mynd i aros i newid ceffylau yn y Green Dragon. Dyna pam roedd y corn wedi ei ganu – er mwyn rhybuddio osler y dafarn i baratoi'r ceffylau ffres yn lle'r rhai blinedig oedd yn tynnu'r cerbyd mawr, trwm tuag at y Green Dragon y funud honno. Roedd hefyd yn rhybudd i wraig y dafarn a'r morynion i fod yn barod rhag ofn y byddai'r teithwyr ar y goets yn gofyn am bryd o fwyd cyn mynd ymlaen ar eu ffordd i Lundain.

Bwyd! Byddai Twm wrth ei fodd y funud honno pe gallai gerdded i mewn i gegin olau'r Green Dragon a galw am ginio mawr, poeth. Roedd ganddo ddigon o arian i brynu'r bwyd – roedd pymtheg swllt yn ei boced. Dyna oedd yn weddill o'r sofren felen oedd wedi ei gwnïo tu mewn i leinin ei got gan ei fam cyn iddo adael Tregaron.

Pymtheg swllt! Efallai y byddai cymaint â hynny'n ddigon i dalu am ei gludo gan y goets i Lundain! Na, byddai'r goets yn llawn, mwy na thebyg. Ond efallai y byddai lle i deithio *tu allan* arni. Fyddai neb lawer yn fodlon teithio ar ben y goets ar noson mor arw. Ond byddai'n well ganddo e deithio felly, nid yn unig am ei bod yn rhatach, ond am y byddai'n gallu cadw yn y tywyllwch y rhan fwyaf o'r amser. Na, roedd hi'n rhy beryglus. Byddai mentro allan i glos y Green Dragon at y goets yn gofyn am drwbwl.

Gallai glywed sŵn olwynion a charnau ceffylau. Yna clywodd sŵn gweiddi a sŵn drysau'n agor a chau. Roedd y goets wedi cyrraedd. Cyn pen deng munud, neu chwarter awr fan bellaf, byddai wedi dechrau ar ei thaith eto. Gorweddodd Twm yn ôl yn y gwellt gan ymestyn ei goesau blinedig. Bu hynny'n ddigon i'w atgoffa eto am ei draed poenus a'i sgidiau tyllog. Cododd ar ei draed yn sydyn ac aeth am y drws.

Rhwng y golau cynnes oedd yn llifo allan trwy ffenestri'r Green Dragon, a'r golau o lampau mawr y goets, roedd hi bron fel dydd ar glos y dafarn. Safodd Twm yn y cysgodion am funud yn gwylio'r olygfa. Gallai weld yr osler caredig oedd wedi gadael iddo fynd i'r sgubor, yn siarad â gyrrwr y goets — dyn anferth o fawr â dwy neu dair cot fawr drwchus amdano, a menig am ei ddwylo. Roedd yr osler a dau fachgen tua phymtheg oed wrthi'n newid y ceffylau. Cerddodd Twm allan i'r golau. Wrth nesáu at y goets gwelodd ei bod yn wag. Roedd y teithwyr i gyd wedi rhuthro i gegin y dafarn am fwyd a thipyn o wres.

'Welsoch chi ddim mo Joe King ar eich taith, Mr Humphrey?' gofynnodd yr osler wrth i Twm ddod yn nes atyn nhw. Safodd y ddau wrth eu gwaith i glywed ateb y dyn mawr. Roedd gyrrwr y goets yn arwr mawr ganddyn nhw. Ond gwelodd y gyrrwr nhw'n sefyll.

'Ewch mlan â'ch gwaith, y cnafon bach! Y'ch chi am i'r goets fod yn hwyr yn cyrraedd Llundain? Mae hi hanner awr yn hwyr nawr!'

Aeth y ddau fachgen i ffwrdd gan arwain dau geffyl, a'r rheiny'n mygu yn y glaw.

'Joe King ddwedest ti, Bill? Weles i olygfa

hyfryd iawn cyn gadael Henffordd, fachgen –
Joe King yn hongian, â rhaff dda am 'i wddf e.'

'Ydy e wedi'i grogi, Mr Humphrey?'

'Ydy, diolch i'r nefoedd; ond cofia, mae digon
o'i fath e ar ôl 'to.'

'Oes yn wir Mr Humphrey, ond mae'n dda
gweld bod y Gyfraith yn dal ambell un.'

'Ydy, Bill. Ond mae'r Gyfraith yn colli
ambell un hefyd. Roedd hylabalŵ ofnadwy yn
Henffordd – rhyw lofrudd wedi dianc o'r
carchar. Glywest ti erioed y fath beth? Ar ôl i un
o Redwyr Bow Street 'i ddala fe! Bechgyn da
yw bechgyn Bow Street, Bill.'

Roedd Twm wedi sefyll yn ymyl tra oedd y
siarad yma'n mynd ymlaen, a doedd yr un o'r
ddau wedi ei weld. Pan glywodd hyn fe drodd i
adael yn ddistaw bach. Ond digwyddodd yr
osler droi ei ben.

'Hei! Beth wyt *ti* eisie?'

Doedd dim amdani ond troi'n ôl atyn nhw.

'Ro'n i am ofyn a oes lle i un ar y goets?'
gofynnodd.

Edrychodd yr osler a'r gyrrwr arno'n fud.

Agorodd yr osler ei ben i ddweud rhywbeth,
ond y gyrrwr a atebodd serch hynny.

'Does gen i ddim lle i ddryw bach ar y goets
heno.' Trodd oddi wrth Twm. 'Wel, Bill,' meddai,
'mi af i i'r gegin i gynhesu tipyn ac i weld a yw
cwrw'r Green Dragon cystal ag arfer.'

'Ewch chi, Mr Humphrey, fe ofalwn ni am bopeth. Mae eisie rhywbeth arnoch chi ar ôl gyrru trwy'r glaw 'ma.'

'Eitha reit. Rwy'n teithio i fyny ac i lawr y ffordd yma ers pum mlynedd, a dw i ddim yn cofio tywydd tebyg.'

Aeth y gyrrwr, gan rwgnach, tuag at ddrws y dafarn.

'O!' meddai'r osler, gan lygadu Twm. 'Oeddet ti ddim yn hoffi dy wâl?'

'O oeddwn, ond meddwl ro'n i . . . pe bai lle'n digwydd bod ar y goets . . .'

'Rwyt ti'n dipyn o ŵr bonheddig, wyt ti ddim? Teithio ar y goets! Wel!' Edrychodd yn amheus ar Twm.

'O wel,' meddai hwnnw, 'fe af fi'n ôl i'r gwellt. A diolch eto am adel i fi fynd i'r sgubor.'

Ciliodd amheuon yr osler gyda'r geiriau hyn.

'Paid â sôn, mae croeso i ti.'

Aeth Twm i ffwrdd yn gyflym heibio i dalcen y dafarn ac i'r tywyllwch unwaith eto. Roedd e'n teimlo fel tipyn o ffŵl i feddwl am fynd gyda'r goets, ac yn fwy ffôl fyth i fentro i'r golau â chymaint o bobl o gwmpas. Fe allai fod wedi mynd yn syth i'r carchar. Roedd e'n gwybod nawr fod ei ddianc o garchar Henffordd wedi achosi cynnwrf, a bod chwilio mawr amdano ym mhobman, siŵr o fod.

Gorweddodd yn ôl yn y gwellt unwaith eto,

a cheisiodd anghofio'r goets a phopeth. Ac yn wir, roedd wedi blino cymaint nes y dechreuodd deimlo'n gysglyd bron ar unwaith. Cyn cysgu penderfynodd y byddai'n codi ymhell cyn dydd, a dechrau ar ei daith.

Ond pan oedd ar fin mynd i gysgu clywodd swn traed yn dod yn frysiog at ddrws y sgubor. Ar unwaith roedd yn gwbwl effro. Neidiodd ar ei draed. Aeth yn ddistaw trwy'r tywyllwch i gyfeiriad y drws. Ai dyma'i diwedd hi? A oedd yr osler wedi dweud wrth rywun ei fod yn amau'r dyn oedd yn gorwedd yn y sgubor? Daeth y swn traed yn nes. Caeodd Twm ei ddau ddwrn yn y tywyllwch. Nid ar chwarae bach y byddai'n barod i golli ei ryddid ar ôl dod mor bell.

'Hei!' gwaeddodd llais o'r tu allan. Llais yr osler.

'Ie?' meddai Twm yn dawel o'r tu mewn.

'Brysia os wyt ti am fynd gyda'r goets!' gwaeddodd yr osler.

Aeth Twm yn ddistaw am ennyd. Beth oedd hyn? Tric? Roedd y gyrrwr wedi dweud nad oedd dim lle ar y goets.

'Wyt ti am fynd neu nag wyt ti?' gwaeddodd yr osler eto. 'Mae dau ŵr bonheddig wedi penderfynu aros yn y Green Dragon tan fory am 'i bod hi'n noson mor ofnadw, ac mae Mr Humphrey wedi dweud bod yna le i ti nawr, os wyt ti am fynd.'

Anadlodd Twm yn fwy rhydd. Roedd yr eglurhad yn swnio'n ddigon gwir. Agorodd y drws ac aeth allan i'r glaw.

'Rhaid i ti frysio,' gwaeddodd yr osler gan redeg o'i flaen.

Ond pan gyrhaeddodd Twm y goets doedd y teithwyr i gyd ddim wedi dod allan o'r dafarn.

'Wel?' meddai'r gyrrwr yn ddiamynedd. 'Mae 'na le i ti nawr os wyt ti am ddod gyda ni.'

'Y . . . faint yw'r tâl?' gofynnodd Twm.

'Sofren,' meddai'r gyrrwr, 'i'w thalu nawr.'

'Dim ond pymtheg swllt sydd gen i,' atebodd Twm.

'Wel, bydd rhaid i ti gerdded, felly.'

Dechreuodd Twm golli ei dymer, ond roedd e'n gwybod nad oedd codi cynnwrf yn y fan honno yn syniad da. Trodd i fynd yn ôl i'r sgubor.

'Na, aros!' gwaeddodd y gyrrwr. Tynnodd Twm i'r ochr. 'O'r gore, 'machgen gwyn i – pymtheg swllt.' Daliodd ei law allan am yr arian. Tynnodd Twm ei ychydig sylltau o'i boced a'u rhoi iddo.

'Gofala na ddwedi di air wrth neb dy fod di wedi teithio gyda'r goets 'ma heno, wyt ti'n deall?'

Roedd Twm yn deall yn iawn. Roedd e'n gwybod na fyddai'r cwmni'n gweld dim dimai goch o'r pymtheg swllt. Byddai'r cyfan yn mynd i boced y gyrrwr.

'A chofia,' meddai hwnnw wedyn, 'fe fydda i'n dy ollwng di lawr cyn cyrraedd yr orsaf bore fory.'

Y foment honno daeth rhai o deithwyr y goets allan o'r dafarn. Ychydig o flaen y lleill cerddai dwy ferch ifanc, un ohonyn nhw'n amlwg yn ferch fonheddig. Roedd rhywbeth yn y ffordd roedd hi'n cherdded a wnaeth i Twm edrych yn graff arni. A oedd wedi ei gweld o'r blaen? Gwisgai got hir hyd y llawr, a chydiai yng ngwaelod honno wrth gerdded rhag iddi lusgo drwy'r baw ar glos y dafarn. Pan ddaeth hi o fewn cyrraedd golau lamp fawr y goets, gwelodd Twm ei hwyneb. Wyneb crwn, eithriadol o dlws, llygaid duon yn fflachio yn y golau − Eluned Prys y Dolau!

Cymerodd Twm gam ymlaen, yna cam yn ôl. Fe deimlai'n ddryslyd. Rhedodd yr osler i agor drws y goets iddi. Am eiliad edrychodd Ledi Eluned i gyfeiriad Twm a'r gyrrwr, ond roddodd hi ddim unrhyw arwydd ei bod yn adnabod y dyn ifanc, carpiog â'r farf ddu.

Yna cerddodd i mewn i'r goets fel pe bai'n berchen arni.

Rywfodd neu'i gilydd llwyddodd Twm i'w lusgo'i hun i ben y goets. Caewyd y drysau a dringodd y gyrrwr i'w sedd. Yna, yn sŵn gweiddi a chyfarth cŵn, dechreuodd y goets ar ei thaith.

Pennod 19

Roedd hi'n arllwys y glaw o hyd ac yn dywyll fel bol buwch. Teimlai Ledi Eluned ei thraed yn oer a cheisiodd eu gwthio'n ddyfnach i'r gwellt ar lawr y goets. Glaw, glaw, glaw! Roedd hi wedi bwrw bob dydd ers wythnosau! A dyma hi nawr yn bwrw'n waeth nag erioed. Meddyliodd am y teithwyr ar ben y goets. Roedd y rheiny allan yn y tywydd. Druan ohonyn nhw! Teimlodd yn anesmwyth braidd ei bod mewn cymaint gwell amgylchiadau na nhw. Roedd y daith yn ddigon anghysurus iddi hi a'r lleill tu mewn i'r goets, ond aeth ias drwyddi wrth feddwl am y rhai oedd tu allan. Rhaid eu bod yn wlyb hyd at eu crwyn a bron â rhewi.

Er bod y glaw'n tywyllu'r ffenestri, roedd tipyn o olau melyn lampau mawr y goets yn dod i mewn drwyddyn nhw, a gallai Ledi Eluned weld wynebau ei chyd-deithwyr. Doedd gan yr un ohonyn nhw air i'w ddweud, a doedd dim i'w glywed ond sŵn carnau'r ceffylau a sŵn yr olwynion ar y ffordd dyllog. Bob nawr ac yn y man byddai un o'r olwynion yn mynd i mewn i dwll neu rigol fwy na'i gilydd, yna byddai pob un ohonyn nhw'n cael ei daflu allan o'i sedd, bron.

O'i chornel edrychodd Ledi Eluned o un wyneb i'r llall. Gyferbyn â hi eisteddai'r wraig dew, ofidus yr olwg, â'r dillad costus, oedd yn teithio, meddai hi, at ei merch oedd yn wael yn Llundain. Yn nesaf ati – y dyn tywyll siaradus oedd yn mynd 'nôl i Lundain o Gymru. Roedd e wedi etifeddu tipyn o dir yn sir Fynwy ar ôl hen ewyrth iddo, ond wedi mynd bob cam i Gymru i'w weld, roedd wedi penderfynu ei werthu ar unwaith. Allai e ddim meddwl byw 'in that wild country', fel y dywedodd wrth Ledi Eluned amser swper yn y Green Dragon. Ar draws ei ddwy ben-glin roedd ganddo fag lledr brown.

Yn ymyl y dyn pryd tywyll eisteddai'r dyn distaw. Doedd e ddim wedi dweud yr un gair wrth neb er pan ymunodd â'r goets yn y Green Dragon, a rywfodd neu'i gilydd roedd ei ddistawrwydd e wedi effeithio arnyn nhw i gyd. Dyna pam roedden nhw bob un mor dawel. Eisteddai yn ei gornel, â'i ddwy law ar ei liniau a'i ben yn pwyso ymlaen ychydig.

Gyferbyn ag e eisteddai'r cyfreithiwr. Dillad du yn dechrau mynd yn wyrdd gan henaint oedd amdano, ac roedd ganddo ffon â phen arian iddi. Nawr roedd e'n pwyso ar ei ffon gan edrych yn graff ar y dyn distaw gyferbyn ag e.

Wedyn roedd Neli, morwyn Ledi Eluned. Druan o Neli! Roedd hi wedi gadael Tregaron mewn hwyliau mawr. Pan ddeallodd ei bod yn cael mynd gyda'i meistres i Lundain bu bron iddi lewygu gan lawenydd! Oedd, roedd hi'n hardd iawn yn cychwyn o Dregaron, â'r het newydd a'r ruban glas, llydan yn cau'n ddolen fawr o dan ei gwddf. Ond nawr roedd y ddolen yn edrych yn llipa iawn, a'r un oedd yn ei gwisgo'n edrych yn llwyd ac yn flinedig.

'A wnes i gam â Neli trwy ofyn iddi ddod ar daith mor bell?' gofynnodd Ledi Eluned iddi ei hunan. Yna dechreuodd feddwl beth yn y byd oedd yr un ohonyn nhw'n ei wneud yn y goets fawr ar y ffordd i Lundain ar y fath noson ofnadwy! Beth oedd wedi codi yn ei phen hi i fentro ar y fath daith? Roedd gan y glaw rywbeth i'w wneud â'r peth, meddyliodd. Roedd hi wedi bwrw digon cyn iddi adael Tregaron i ddinistrio'r cynhaeaf, a lle bynnag roedd hi'n mynd, dim ond diflastod mawr oedd i'w weld ym mhobman. Sylweddolodd na allai wynebu'r gaeaf wrthi'i hunan yn y plas. Pam nad oedd hi wedi mynd i'w hen gartref yng Nghiliau Aeron, at ei thad? Roedd hi'n gwybod yn iawn na fyddai'n cael llonydd yno – byddai ei thad yn pwyso arni o hyd i briodi etifedd Ffynnon Bedr.

Ac wrth feddwl am ei hen gartref yng Nghiliau Aeron y cofiodd hi'n sydyn am Megan Tŷ Glyn. Megan oedd ei ffrind gorau pan oedd hi'n ferch fach yng Nghiliau Aeron. Ond erbyn hyn roedd Megan wedi priodi a symud i fyw i Lundain. Ond o'r funud y dechreuodd hi feddwl amdani, fe deimlai Ledi Eluned mai Megan oedd yr unig un a allai ei helpu – a allai roi cyngor iddi. Teimlai hefyd fod yn rhaid iddi gael amser i *feddwl*, a doedd dim cyfle i wneud hynny os arhosai yn y plas. Ac yn sydyn roedd hi wedi penderfynu cymryd y goets a chychwyn am Lundain!

Dwy – tair awr eto cyn cyrraedd y brifddinas? Roedd y daith yn ymddangos yn ddiddiwedd. Chwipiai'r gwynt y glaw yn erbyn y ffenest a dechreuodd feddwl eto am y teithwyr tu allan. Edrychodd ar Neli. Roedd ei llygaid ynghau, a'r ddolen yn y ruban glas wedi datod.

Aeth y goets trwy dref ddistaw heb fawr o olau ynddi.

'Windsor,' meddai'r dyn â'r bag, ond chymerodd neb ddim sylw. Trodd y dyn distaw i edrych allan drwy'r ffenest. Cyn bo hir roedd y goets wedi gadael Windsor ar ôl, ac unwaith eto roedden nhw'n teithio drwy'r wlad dywyll. Caeodd Ledi Eluned ei llygaid. Teimlai'n flinedig iawn.

Yn sydyn clywodd sŵn gweiddi uchel, a stopiodd y goets mor sydyn nes taflu pawb, bron, allan o'u seddau. Edrychodd Ledi Eluned allan drwy'r ffenest, ond allai hi weld dim. Trodd 'nôl i holi ei chyd-deithwyr beth oedd yn bod, a chafodd sioc i weld fod y dyn distaw ar ei draed. Cafodd fwy o sioc fyth pan welodd bistol mawr du yn ei law.

'Beth . . ?' meddai'r dyn â'r bag gan geisio codi o'i sedd. Gwthiodd y dyn distaw e'n ôl i'w le.

'Neb i symud o'r fan lle mae e nes bydda i'n dweud!' meddai. O'r diwedd roedden nhw wedi clywed ei lais.

'Syr,' meddai'r cyfreithiwr, 'rwy am eich rhybuddio chi . . .'

Trawodd y dyn â'r pistol e ar draws ei foch â chefn ei law. Heb droi ei gefn arnyn nhw agorodd y drws a chwythodd y gwynt y glaw oer i mewn i'r goets.

'Allan â chi bob un,' meddai'r dyn â'r pistol. Neidiodd i lawr i'r ffordd yn gyntaf a safodd wrth y drws nes bod pawb wedi disgyn.

'Mei ledi! Mei ledi! Be sy?' sibrydodd Neli a'i llais yn crynu.

'Sh, Neli, fe fydd popeth yn iawn.'

'Ond . . ?' Gwasgodd ei meistres ei llaw.

Roedd y rhai oedd yn teithio ar ben y goets wedi disgyn i'r llawr erbyn hyn hefyd. O'u blaen, bron tu allan i gylch y golau o lampau'r goets, eisteddai dyn ar gefn ceffyl du, llonydd.

Roedd mwgwd am ei wyneb a phistol ganddo ymhob llaw. Ddywedodd e'r un gair, dim ond sefyll yn fygythiol a'i lygaid yn gwylio pob symudiad. Sylweddolodd pawb pwy oedd wedi stopio'r goets. Roedden nhw'n gwybod hefyd eu bod yng ngafael dau leidr pen-ffordd. Ond ble roedd y lleidr oedd yn teithio yn y goets? Doedd dim sôn amdano. Ond fuon nhw ddim yn hir cyn cael gwybod. Yn sydyn dechreuodd y bagiau oedd ar ben y goets ddisgyn ar y llawr a chyn bo hir daeth y lleidr i lawr o ben y goets. Tynnodd gyllell o'i boced a dechrau torri rhwyg ymhob un. Gwibiodd ei fysedd yn gyflym trwy gynnwys pob bag.

Roedd Twm wedi hen golli ei dymer. Anwybyddodd y lleidr oedd yn archwilio'r bagiau. Roedd ei lygaid e ar y lleidr ar gefn y ceffyl. Pe na bai Ledi Eluned yno byddai'n siŵr o fod wedi ceisio gwneud rhywbeth erbyn hyn. Ond sylweddolodd hefyd y gallai unrhyw symudiad o'i eiddo e beryglu bywyd y lleill, a chan fod gwraig ifanc y Dolau'n un o'r rheini, teimlai na allai fentro gwneud dim. Doedd lladron pen-ffordd ddim yn arfer lladd oni bai fod rhywun yn ceisio'u rhwystro. Felly safodd Twm yn y glaw yn berffaith lonydd. Ond roedd ei waed yn berwi.

Erbyn hyn roedd y lleidr wedi gorffen archwilio'r bagiau. Nawr roedd ganddo sach gynfas yn ei law, a honno'n hanner llawn. Yna trodd at y teithwyr. Edrychodd drostyn nhw'n fanwl a'i lygaid yn disgleirio yn y golau. Gwelodd y wraig dew yn codi ei llaw at ei gwddf a daeth gwên fileinig dros ei wyneb creulon. Aeth gam yn nes ati. Cododd ei law a chydiodd yng ngholer ffwr ei chot deithio. Clywodd Twm y brethyn yn rhwygo a gwelodd y gemau ar wddf y wraig yn fflachio. Rhoddodd hithau ochenaid uchel, ond tynnodd y rhaff ddisglair oddi ar ei gwddf a'i rhoi i'r lleidr. Daliodd hwnnw hi yn ei law am eiliad gan edrych arni. Yna gwenodd eto a thaflodd y gemau i'r sach.

Roedd y dyn â'r gwallt tywyll wedi dod â'r bag lledr melyn allan gydag e o'r goets, ac yn cydio'n dynn ynddo nawr. Aeth y lleidr ato a thynnodd e o'i law. Ysgydwodd e, a chlywodd pawb sŵn tincial arian. Teimlai Ledi Eluned yn siŵr fod yr holl arian a gafodd am y fferm yn sir Fynwy yn y bag hwnnw.

Tro'r cyfreithiwr oedd hi nesa.

Aeth y lleidr ato, a chydag un symudiad cyflym, tynnodd y ffon â'r pen arian o'i law a thorrodd hi'n ddau ddarn ar draws ei ben-glin.

'Faint o aur sy gen ti, Solomon?' gofynnodd yn wawdlyd. Yna gwaeddodd, 'Agor dy got!'

Sylweddolodd Ledi Eluned mai ei thro hi oedd nesaf. Meddyliodd am yr ugain gini aur oedd ganddi yn y boced fach ddirgel yn ei phais, o dan ei gŵn felfed las. Dechreuodd wylltio. Beth allai hi wneud? A fyddai'n rhaid iddi fynd i'r boced fach yn ei phais o flaen llygaid pawb? Gwridodd wrth feddwl am y peth. Sylweddolodd yn sydyn hefyd na allai hi ddioddef i'r dihiryn gyffwrdd â hi, ac efallai rwygo'i dillad fel y gwnaeth â'r wraig dew.

Gwelodd y lleidr yn derbyn oriawr arian fawr o law'r cyfreithiwr, yna hen waled drwchus o boced ei frest. Yna edrychodd y lleidr arni hi. Roedd ei meddyliau'n gawdel i gyd. Daeth y lleidr gam yn nes tuag ati.

Caeodd Twm ei ddau ddwrn yn dynn a daliodd ei anadl. Fel fflach estynnodd y lleidr ei law a chydio yn arddwrn Ledi Eluned. Cymerodd Twm gam ymlaen. Ond yr eiliad nesaf gwelodd hi'n gwingo o afael y lleidr ac yn gweiddi, 'Paid â chyffwrdd â mi!' Wedyn gwelodd hi'n dechrau rhedeg tuag ato a thuag at ben ôl y goets. Rhedodd heibio iddo â'i chot deithio'n hofran tu ôl iddi. Daeth y lleidr ar ei hôl. Cymerodd Twm gam cyflym a sefyll yn union o'i flaen. Trwy gil ei lygad gwelodd Ledi Eluned yn diflannu i'r tywyllwch tu ôl i'r goets, ond cyn iddo weld dim rhagor disgynnodd pistol y lleidr ar ei dalcen. Fflachiodd sêr o flaen ei lygaid, yna syrthiodd i'r llawr a gorwedd yno'n hollol lonydd.

Pennod 20

Daeth Twm ato'i hunan yn araf. Meddyliodd iddo glywed sŵn olwynion a sŵn carnau ceffylau, ond wedyn aeth pobman yn ddistaw. Beth oedd o'i le ar ei wyneb? Roedd e'n teimlo fel petai mil o bryfed mân yn cerdded drosto. Yna sylweddolodd mai'r glaw oedd yn disgyn ar ei wyneb ac yn llifo i lawr dros ei wddf. Agorodd ei lygaid. Roedd pobman yn dywyll. Yna clywodd sŵn yn ei ymyl. Sŵn ceffyl yn ffroeni ac yn taro'r llawr â'i garnau. Wedyn llais yn ei ymyl!

'Na, gad i ni fynd. Rwy am fod cyn belled ag sy bosib o'r lle 'ma cyn y bore.'

Yna llais arall yn ateb.

'Ond roedd hi'n edrych yn gyfoethog. Fentra i sofren felen 'i bod hi'n werth dod o hyd iddi. A pheth arall, all hi ddim bod ymhell; fentra i sofren arall nad yw hi ddim wedi mynd ymhellach na'r coed 'na yr ochr arall i'r ffordd.'

'Gad iddi fod. Fe elli di fod yn chwilio amdani drwy'r nos. Dere, gad i ni fodloni ar yr hyn sy gyda ni; mae wedi bod yn noson eitha proffidiol.'

'Rwyt ti'n rhy ofalus, Tom,' meddai'r llais arall.

'Falle 'mod i. Dyna pam rwy wedi dal mor hir â hyn heb deimlo'r rhaff am fy ngwddf. Mae Tom Dorbell yn rhy ofalus i gael ei ddal, coelia di fi. Dere.'

'Beth am hwn, Tom?'

'Beth amdano fe?'

'Mae e'n gorwedd ar ganol y ffordd, fe all cerbyd ddod . . .'

Clywodd Twm sŵn chwerthin gwawdlyd, a'r peth olaf a glywodd oedd y ceffylau'n symud i ffwrdd.

Ar ôl i bopeth ddistewi fe geisiodd godi ar ei draed, ond cyn gynted ag y symudodd fe aeth poen fel saeth drwy ei ben a gorweddodd unwaith eto ar y ffordd wlyb. Roedd e'n gwybod bod yn rhaid iddo fynd i edrych am Ledi Eluned oedd yn crwydro'n rhywle yn y coed yr ochr arall i'r ffordd. Fe allai unrhyw beth fod wedi digwydd iddi. Deallodd nawr fod y goets wedi mynd ar ei thaith hebddyn nhw a theimlodd yn ddig. Ond wedyn sylweddolodd fod y lladron wedi gorfodi'r gyrrwr i fynd yn ei flaen, mwy na thebyg.

Dechreuodd ei feddwl grwydro. Beth oedd yn bod arno? Cododd ei law at ei dalcen a theimlodd y clwyf agored lle roedd pistol y lleidr wedi ei daro. Rhaid ei fod wedi colli tipyn o waed – dyna pam ei fod yn teimlo mor wan.

Pan ddaeth Twm ato'i hunan yr ail waith roedd y glaw wedi peidio a'r lleuad wedi codi. Gallai weld y ffordd yn weddol glir nawr, hyd at y tro yn y pellter. Roedd e'n teimlo mor oer â thalp o rew. Sylweddolodd fod rhaid iddo godi ar unwaith o'r fan lle roedd yn gorwedd neu byddai ar ben arno. Y tro hwn fe lwyddodd i sefyll ar ei draed. Wedyn dechreuodd gerdded o gwmpas, yn sigledig ar y dechrau, er mwyn cyflymu rhediad y gwaed yn ei gorff. Cyn bo hir roedd e'n teimlo'n ddigon cryf i fynd i chwilio am Ledi Eluned. Dim ond clawdd bach isel oedd yr ochr arall i'r ffordd, ac yna'r coed trwchus. Sylweddolodd Twm ar unwaith y gallai Ledi Eluned fod wedi dod allan i'r ffordd yn nes ymlaen, a dal y goets heb yn wybod i'r lladron. Ar y llaw arall fe allai fod wedi crwydro ymhell i berfeddion y coed. Roedd e'n gwybod mai gobaith gwan oedd ganddo am ddod o hyd iddi beth bynnag.

Cerddodd i mewn i'r coed. Er bod y glaw wedi peidio, roedd ambell ddiferyn mawr yn disgyn arno nawr ac yn y man o'r canghennau gwlyb uwchben. O dan ei draed roedd swp gwlyb o ddail yr hydref.

Gwaeddodd ei henw, ac arhosodd am dipyn i wrando a oedd rhywun yn ateb. Ond ni thorrodd dim ar y distawrwydd. Cerddodd yn ddyfnach i'r goedwig gan ddal i weiddi bob hyn a hyn.

Aeth amser heibio, ac o edrych i fyny i'r awyr, gwelodd Twm fod y sêr yn dechrau diflannu. Roedd y wawr yn torri! Rhaid ei fod wedi bod yn gorwedd am amser hir ar y ffordd! Canodd un aderyn unig yn rhywle ymhell yn y coed. Dechreuodd Twm ei daith yn ôl i gyfeiriad y ffordd fawr. Yna clywodd sŵn nant fach yn sisial yn rhywle heb fod ymhell, ac aeth i chwilio amdani. Daeth o hyd iddi mewn pant bach caregog a gorweddodd ar y dail gwlyb i dorri ei syched. Llithrodd dwy neu dair deilen grin heibio i'w wyneb tra oedd yn yfed.

Pan gododd ar ei draed gwelodd hen adfail wrth ymyl y nant. Aeth ato, a gwelodd fod to'r hen dŷ wedi cwympo bron i gyd, heblaw am un darn wrth y corn simnai. Edrychai'r hen le'n rhyfedd o drist a digalon yng ngolau llwyd y bore.

Edrychodd Twm i mewn trwy un o'r ffenestri tyllog. A dyna lle roedd hi! Gorweddai ar y llawr brwnt yn union o dan y darn oedd ar ôl o'r to. Ai cysgu yr oedd hi? Roedd hi'n pwyso'i phen ar hen foncyff garw o bren, ac roedd ei llygaid ynghau. Gallai Twm weld ei mynwes yn codi ac yn disgyn; roedd hi'n anadlu'n llyfn, beth bynnag. Rhaid ei bod wedi dod o hyd i'r hen le yma yn ystod y nos wrth grwydro, meddyliodd.

Aeth i mewn trwy'r twll lle'r arferai'r drws fod. Gallai weld ei hwyneb yn gliriach nawr. Roedd ei het ffasiynol wedi dod yn rhydd, a'i gwallt yn syrthio dros ei boch. Edrychai'n harddach nag erioed y funud honno, ac am dipyn allai Twm ddim gwneud dim ond syllu arni mewn syndod. Yna, fel pe bai'n synhwyro bod rhywun yn edrych arni, agorodd Ledi Eluned ei llygaid. Edrychodd mewn dychryn ar yr wyneb barfog du, a gwaed a llaid y ffordd wedi ceulo drosto i gyd. Mewn winc cododd ar ei thraed a chamu'n ôl yn erbyn mur yr hen dŷ. Edrychodd yn wyllt o'i chwmpas am le i ddianc neu am rywbeth i'w helpu i'w hamddiffyn ei hun.

'Peidiwch â dychryn,' meddai Twm yn dawel, 'fi sy 'ma, Twm Siôn Cati.'

'Twm!' Llithrodd ei enw dros ei gwefusau, fel pe bai'n gwrthod credu ei chlustiau. 'Twm! Ond . . .'

A'r eiliad nesaf, er mawr syndod iddo, roedd hi wedi rhedeg ato a rhoi ei dwy fraich yn dynn am ei wddf. Yna sylweddolodd Twm ei bod hi'n crio a'i phen ar ei ysgwydd.

'Twm,' meddai, heb godi ei phen, 'ewch â fi o'r lle ofnadw 'ma. O, roedd arna i ofn bod yn yr hen le 'ma neithiwr . . . a'r glaw a'r gwynt . . . ro'n i'n meddwl na fyddai hi'n dyddio byth mwy . . . ro'n i wedi blino . . . a rhaid 'mod i wedi cysgu ar y bore.' Aeth ymlaen ac ymlaen, a thrwy'r amser roedd Twm yn ei dal hi'n dyner yn ei freichiau. Daeth arogl ei gwallt i'w ffroenau. Allai e ddim ddweud dim. Fel arfer, yng nghwmni gwraig ifanc y Dolau, fe deimlai'n rhy swil i agor ei geg bron.

Yn sydyn cododd ei phen i edrych arno, a'i llygaid yn llawn dagrau.

'Twm, sut . . ? O ble daethoch chi? Sut oeddech chi'n gwybod 'mod i . . ?'

'Ro'n i'n teithio ar y goets neithiwr. Welsoch chi mohono i?'

Ysgydwodd ei phen. 'Ond be sy wedi digwydd i chi? Pam na fuasech chi wedi talu'r ddyled i Syr John? Fe ges i lythyr.'

Edrychodd Twm yn anesmwyth. Oherwydd iddo aros un diwrnod yn Henffordd i redeg ras â'r gaseg, roedd wedi achosi'r holl drwbwl yma i Ledi Eluned. Roedd e'n ysu am gael dweud yr helynt i gyd wrthi'r funud honno, ond roedd y stori'n un mor hir ac mor gymhleth, ac roedd yntau'n teimlo mor swil â'r llygaid mawr duon yn ei wylio.

'Wel . . . y . . .' Doedd Twm ddim yn gwybod ble i ddechrau.

'Wel?' meddai hithau, gan symud o'i freichiau a chilio'n ôl lathen.

'Fe gollais y perlau,' meddai Twm o'r diwedd.

'Twm! Ble?'

'Yn Henffordd.'

'Ond sut, Twm? Beth ddigwyddodd?'

'Ro'n i'n cerdded i lawr stryd gefn yn Henffordd pan ymosododd dau ddyn arna i.'

'O! Ond beth oeddech chi'n 'i neud mewn stryd gefn yn Henffordd, Twm?'

'Ro'n i wedi aros diwrnod yno i rasio'r gaseg . . . roedd ras yn Henffordd y diwrnod hwnnw.'

'O?'

Edrychai Twm fel bachgen bach wedi cael ei ddal yn dwyn afalau yn y berllan.

'Ro'n i wedi meddwl . . .'

'Na, peidiwch â dweud un gair arall.'

'Ond . . .'

'Na, mi alla i ddychmygu'r gweddill am y tro. Mae trwbwl yn eich dilyn chi, Twm, fel gwenyn ar ôl mêl.'

Yn sydyn, roedd hi'n teimlo'n hapus. Sylweddolodd ei bod wedi amau Twm ar gam. Roedd hi'n gwybod hefyd nad colli'r perlau oedd wedi pwyso mor drwm ar ei meddwl, ond yr ofn fod Twm wedi ei thwyllo. A dyma fe nawr wedi dod yn sydyn ac yn wyrthiol i'r lle dieithr yma, yn edrych fel bwgan brain a gwaed dros ei wyneb i gyd.

'Mae 'na glwyf ar eich talcen chi, Twm. Beth ddigwyddodd i chi?' gofynnodd.

'Fe geisiais i sefyll o flaen y lleidr pen-ffordd

149

pan oedd e'n rhedeg ar eich ôl chi, ac fe gollodd 'i amynedd braidd.'

Edrychodd Ledi Eluned yn dyner arno, a'i llygaid yn llaith. Unwaith eto roedd e wedi peryglu'i fywyd i'w hamddiffyn hi! Aeth ato'n gyflym a'i gusanu ar ei foch. Yna rhedodd allan o'r hen dŷ i guddio'r ffaith ei bod hi'n gwrido. Safodd Twm yn stond ar ganol y llawr. Yna lledodd gwên fawr dros ei wyneb ac aeth allan ar ei hôl. Roedd hi wedi mynd beth ffordd drwy'r coed erbyn hyn, a bu rhaid i Twm redeg i'w dal. Ond erbyn iddo ei dal roedd wedi mynd i deimlo'n swil unwaith eto ac allai e ddweud dim wrthi.

Cerddodd y ddau gyda'i gilydd drwy'r coed am dipyn heb ddweud yr un gair. Yna cydiodd cot deithio Ledi Eluned mewn draenen.

'Gadewch i mi eich helpu . . . mei ledi,' meddai Twm.

'O, chi a'ch "mei ledi"!' meddai hithau'n ddiamynedd. 'Fe wyddoch chi'n iawn mai Eluned yw fy enw i.' Yna roedd hi'n gwrido unwaith eto. Fe geisiodd gerdded i ffwrdd, ond roedd y ddraenen yn dal ei gafael, ac allai hi ddim symud er ei bod yn tynnu ei gorau. Yna clywodd y ddau frethyn y got yn rhwygo, a'r eiliad nesaf roedd Ledi Eluned wedi syrthio i'r llawr. Cododd Twm hi ar ei thraed a gwelodd ei bod yn chwerthin. Cymerodd hi yn ei freichiau.

'Eluned,' meddai, 'pan awn ni adre i Dregaron . . .'

Ond gwingodd hi o'i afael. 'Pan fyddwch chi wedi eillio'r farf ofnadwy 'na, Twm.' Ac roedd hi'n chwerthin eto.

Pennod 21

Law yn llaw y daeth Twm Siôn Cati a Ledi Eluned Prys allan o'r coed i'r ffordd fawr, ac er bod y ddau'n teimlo'n flinedig ar ôl profiadau rhyfedd y noson cynt, nhw oedd y ddau hapusaf erioed i gerdded y ffordd honno tua dinas Llundain. Erbyn hyn roedd Twm wedi cael cyfle i adrodd yr hanes am bopeth a ddigwyddodd iddo ers pan adawodd Dregaron ar gefn y gaseg ddu â'r rhaff berlau yn leinin ei wasgod. Pan ddeallodd Ledi Eluned fod perygl iddo gael ei ddal eto gan Redwyr Bow Street, gwnaeth wyneb trist.

'Wel,' meddai, 'fe fydd rhaid i mi ddioddef y farf draenog 'na eto am dipyn, rwy'n ofni! Os na wnes i eich nabod chi yn y farf yna, dyw hi ddim yn debyg y bydd Rhedwyr Bow Street yn gwneud. Er – cofiwch chi – fe ddylai pob un sy'n cadw barf fel'na gael blwyddyn o garchar – o leiaf!'

Chwarddodd y ddau. Roedd Twm yn hapus pan oedd hi'n tynnu ei goes fel hyn.

Cerddodd y ddau'n frysiog ar hyd y ffordd fwdlyd. Doedden nhw ddim wedi gweld yr un dyn byw eto. Daeth yr haul i'r golwg dros ysgwydd y bryn, a meddyliodd Ledi Eluned fod amser maith ers pan welodd hi'r haul yn codi mewn awyr glir o'r blaen. A oedd yn arwydd bod amser gwell o'i blaen?

Yna clywodd y ddau sŵn carnau ceffyl tu ôl iddyn nhw, a daeth cerbyd ysgafn, cyflym i'r golwg heibio i'r tro. Yn y cerbyd eisteddai un dyn â het gorun uchel ar ei ben. Roedd y ceffyl yn camu'n uchel ac yn falch, fel pe bai'n ddig wrth y mwd ar y ffordd o dan ei draed.

Fel roedd y cerbyd yn nesáu, trodd Twm a chodi ei law.

'Wo-ho! Brown!' gwaeddodd y gyrrwr, a stopiodd y ceffyl yn eu hymyl gan ddawnsio yn ei unfan a thynnu'n ddiamynedd wrth y ffrwyn dynn.

Hen ŵr trwsiadus yr olwg â barf wen, bigfain yn cuddio hanner ei wyneb, oedd y gyrrwr. Edrychodd ar Twm a Ledi Eluned am funud heb ddweud yr un gair, a'i lygaid bach byw yn sylwi ar bopeth. Gwelodd Twm ei fod yn cadw un llaw y tu mewn i'w got, a sylweddolodd fod bysedd yr hen ŵr ar bistol.

'Wel?' meddai'r gyrrwr o'r diwedd. 'Jack Hokey, dyn busnes o Windsor, at eich gwasanaeth.'

'Roedden ni yn y goets neithiwr pan ymosododd dau leidr pen-ffordd arni . . . roedden ni ar ein ffordd i Lundain . . . Fe lwyddodd y ddau ohonon ni i ddianc.'

Doedd Twm ddim yn siŵr faint o'r stori i'w hadrodd wrth y dyn dieithr. Ond doedd dim angen iddo ddweud rhagor.

'Wel, wel,' meddai Mr Hokey, 'fe fuodd 'na ymosodiad ar y goets neithiwr wedyn, do fe? Mae'n ddrwg gen i glywed. Rwy'n mynd i Hounslow, ac mae croeso i chi deithio yn y cerbyd 'ma. Yn wir, rwy'n mynd i fynnu eich bod chi'n teithio yn y cerbyd 'ma. Mi fydda i yn Hounslow ymhen chwarter awr.'

Estynnodd ei law i Ledi Eluned.

'Ma'am.'

'Diolch i chi, syr,' meddai gan gydio yn ei law a neidio i fyny i'r cerbyd, 'ro'n i wedi blino.'

'Peidiwch â sôn, ma'am. Fydd Brown a finne ddim yn cael cyfle'n aml i gario boneddiges ifanc mor hardd, os maddeuwch i mi am ddweud hynny, ma'am. Chi, syr, neidiwch i fyny tu ôl os gwelwch chi'n dda.'

Yna dechreuodd y cerbyd deithio tua Hounslow. Ar y ffordd mynnodd Mr Hokey gael hanes y noson cynt yn llawn gan Ledi Eluned. Edrychodd yr hen ŵr gydag edmygedd ar Twm pan glywodd am y ffordd y safodd o flaen y lleidr pan oedd Ledi Eluned yn ceisio dianc.

'Ry'ch chi wedi cael profiad ofnadwy, ma'am,' meddai, ar ôl iddi orffen. 'Rwy'n mynd i awgrymu nawr, ma'am, os ca' i fod mor hy, eich bod chi'n dod gyda mi i westy'r Bull yn Hounslow. Dyna'r unig westy o werth yn y dre, ma'am. Brawd a chwaer sy'n cadw'r lle – Sam a Mary Hinds. Fe gewch chi bob gofal yno, wir i chi.'

Ar y gair roedd y ceffyl coch yn camu'n uchel dros heol â phalmant cerrig, a chadwai ei garnau sŵn pert wrth fynd heibio i dai digon tlawd yr olwg ar bob ochr.

'Dyma ni yn Hounslow,' meddai Mr Hokey, 'twll o le os bu un erioed, ma'am, os caf fi ddweud hynny. Lle tlawd, ma'am, yn llawn lladron. Rwy am eich rhybuddio chi i fod yn ofalus tra byddwch chi yma.'

Yn fuan iawn roedd y ceffyl coch wedi sefyll o flaen hen dafarn ag eiddew drosti i gyd. Uwchben y drws ar ddarn o bren sgwâr roedd llun pen tarw du yn siglo yn y gwynt.

'Sam! Mary! Sam!' gwaeddodd Mr Hokey o flaen y drws, a chyn bo hir daeth merch ifanc fochgoch i'r golwg o gefn y dafarn â basgedaid o wyau ffres yn ei llaw.

'Mr Hokey! Oes rhywbeth o le, Mr Hokey, syr?'

'Oes mae e, Mary, 'nghariad i. Fe ymosododd lladron pen-ffordd ar y goets neithiwr, ac mae dau o'r teithwyr gyda fi fan hyn. Rwy am i chi wneud y gore iddyn nhw, Mary: maen nhw wedi bod allan yn y glaw drwy'r nos.'

'Wrth gwrs, Mr Hokey. Roedd Sam wedi clywed si fod lladron wedi ymosod ar y goets neithiwr.'

Roedd yr hen ŵr wedi disgyn o'r cerbyd erbyn hyn.

'Ma'am?' Estynnodd ei law'n garedig i dderbyn Ledi Eluned i lawr o'r cerbyd, yna estynnodd ei fraich i'w harwain i mewn i'r dafarn. Derbyniodd hithau gymorth ei fraich gan fowio iddo, a cherddodd y ddau i mewn i'r dafarn. Aeth Twm ar eu holau. Ond roedd Mary wedi mynd i mewn drwy'r drws o flaen yr un ohonyn nhw, a phan ddaethon nhw i mewn i'r gegin wag roedd hi wrthi'n procio'r tân. Wedyn daeth Sam Hinds i mewn o'r cefn a'i ddillad yn wellt i gyd. Un bochgoch yr un ffunud â'i chwaer oedd yntau hefyd, a'i wyneb yn grwn fel pêl.

'Bore da, Mr Hokey, syr.' Yna gwelodd y dieithriaid ac edrychodd braidd yn syn.

'Sam,' meddai Mr Hokey, 'mae eisie dillad sych ar y gŵr bonheddig yma. Edrych, mae e'n wlyb domen! Os bydd e yn y dillad yma un funud arall fe fydd e'n siŵr o fod yn sâl. Nawr, elli di roi benthyg rhywbeth iddo i'w wisgo?'

'Wrth gwrs, Mr Hokey.' Yna, gan droi at Twm. 'Dewch gyda fi, syr.'

Edrychodd Twm ar Ledi Eluned. Gwelodd Mr Hokey e.

'Fe fydd Mary'n gofalu amdani hi,' meddai.

Aeth Twm gyda Sam Hinds i fyny'r grisiau, ac o gwpwrdd yn ei stafell wely tynnodd Sam ei siwt orau o frethyn llwyd, a'i rhoi ar y gwely. O'r drôr yng ngwaelod y cwpwrdd tynnodd grys gwlanen newydd.

'Ond fedra i ddim gwisgo'r rheina!' meddai Twm.

'Gwisgwch nhw ar unwaith, syr, os gwelwch yn dda.'

'Ond dyma dy ddillad gore di!'

'Gwisgwch nhw ar unwaith, syr, neu fe fydd Mr Hokey . . .'

'Sam!' gwaeddodd y gŵr bonheddig hwnnw o'r llawr.

'Esgusodwch fi, syr, mae Mr Hokey'n galw. Fe fydd brecwast yn barod erbyn dowch chi lawr.'

'Ond . . .' dechreuodd Twm, ond roedd Sam wedi diflannu drwy'r drws.

Ysgydwodd Twm ei ben, yna gwenodd wrtho'i hunan. Gwelodd jwg a phadell yng nghornel y stafell ac wedi edrych gwelodd fod dŵr glân yn y jwg. Daeth o hyd i ddarn o sebon, a'r peth cyntaf a wnaeth oedd golchi'r baw a'r gwaed oddi ar ei wyneb. Uwchben y bwrdd roedd drych bach a hwnnw wedi cracio. Ond gallai Twm weld ei lun yn weddol glir ynddo. Fe gafodd dipyn o sioc wrth weld yr olwg wyllt oedd arno. Tynnodd ei fysedd trwy ei farf arw, a theimlodd na allai wynebu Ledi

Eluned na neb nes cael gwared ohoni. Wedi edrych sylwodd fod drôr i'r bwrdd, a phan agorodd hwnnw gwelodd rasal loyw'n gorwedd ar ei waelod. Tynnodd hi allan. Wedyn cofiodd fod y farf yn ei gwneud yn amhosib i neb ei adnabod, bron. A oedd hi'n ddiogel i'w thorri? Yna edrychodd arno'i hunan yn y drych unwaith eto, a sylweddoli y byddai'n well ganddo wynebu unrhyw berygl o dan haul nag wynebu Ledi Eluned eto heb eillio.

Rhwbiodd dipyn o ddŵr a sebon yn ei farf. Yna, gan dynnu wynebau ofnadwy arno'i hunan yn y drych, dechreuodd dorri'r tyfiant hyll.

Roedd e'n teimlo fel dyn newydd wrth gerdded i lawr y grisiau a siwt gynnes Sam Hinds amdano. Daeth y gwres yn ôl i'w gorff a dechreuodd deimlo'n well o lawer. Wrth fynd i mewn i'r gegin daeth arogl hyfryd cig moch yn ffrio i'w ffroenau. Roedd cefn Mr Hokey at y tân, ond doedd dim sôn am neb arall. Yna daeth Ledi Eluned a Mary Hinds i mewn i'r stafell. Ledi Eluned a chapan gwyn, crwn Mary am ei phen, a ffrog ddu blaen Mary amdani! Edrychodd Twm yn syn arni. Nid y foneddiges grand oedd hi nawr, ond merch gyffredin, gartrefol. Ond i lygaid Twm y funud honno roedd hi'n edrych yn fwy hardd nag erioed. Edrychodd hithau'n syn arno yntau.

'Wel, wel! Mae'r gŵr bonheddig wedi eillio'i farf, Mr Hokey!'

'Ac mae hynny'n welliant mawr, os ca' i ddweud, syr,' meddai'r gŵr bonheddig hwnnw, 'yn welliant amlwg, syr.'

'Ydych chi'n cytuno, ma'am?' gofynnodd Twm, gan wenu. Roedd e'n teimlo'n llawer mwy cartrefol yng nghwmni'r Eluned yma yn nillad merch gyffredin.

'Dw i ddim yn siŵr,' meddai hithau, gan ddal ei phen ar dro, ac esgus edrych yn feirniadol drosto i gyd, 'roedd y farf yn edrych yn . . . y . . . urddasol, dy'ch chi ddim yn meddwl, Mr Hokey?'

'Harŵmff!' meddai hwnnw yn ei farf wen.

Yna daeth Sam i'r drws a'i wyneb yn loyw gan chwys ac yn goch fel tân.

'Mae brecwast yn barod, Mary, os doi di . . .' Ond cyn iddo orffen roedd Mary wedi rhedeg i'r gegin gefn.

Pennod 22

Eisteddai Ledi Eluned a Twm o flaen y tân yng nghegin gynnes y Bull. Roedd y fflamau'n dawnsio o gwmpas y ddau foncyff onnen mawr yn y grât llydan, hen ffasiwn. Roedd yn un ar ddeg o'r gloch y bore.

'Gobeithio bod Neli'n iawn, beth bynnag,' meddai Ledi Eluned. 'Charwn i ddim i unrhyw niwed ddigwydd iddi.'

'Os oedd hi'n gwybod cyfeiriad eich ffrind yn Llundain, mae'n debyg 'i bod hi yno erbyn hyn.'

'Gobeithio 'i bod hi, beth bynnag. Mi fydda i'n falch pan ddaw'r goets i fynd â ni i Lundain, i fi gael gweld drosta i fy hunan.'

'Ddaw'r goets ddim am ddwyawr eto,' meddai Twm. 'Un o'r gloch ddwedodd Sam, ontefe?'

'Ie.'

Roedd yna ddistawrwydd rhyngddyn nhw wedyn am dipyn. Gallai'r ddau glywed sŵn cerbydau'n mynd heibio ar y briffordd tu allan, a theimlai Twm y byddai'n dda ganddo gael aros

yn y fan honno am byth. Roedd cegin y Bull
mor gynnes – mor dawel.

'Beth y'ch chi'n mynd i'w wneud pan
gyrhaeddwn ni Lundain, Twm?'

Ysgydwodd Twm ei ben.

'Wn i ddim yn iawn beth i'w wneud gynta.
Fe garwn i ddod o hyd i Syr Philip i weld beth
yw hanes y gaseg. Ond dw i ddim yn gwybod
sut y mae cael gafael ynddo. Rwy'n meddwl
mai'r peth cynta wna i fydd mynd i weld Syr
John Sbens . . . falle fod Syr Philip wedi bod yn
'i weld e erbyn hyn. Wedyn fe fydd rhaid i fi
fynd i edrych am Quinn.'

Edrychodd Ledi Eluned yn ofidus arno.

'Y'ch chi ddim yn meddwl y bydde hi'n well
i ni fynd adre i Dregaron cyn gynted ag y
byddwn ni wedi setlo'n busnes â Syr John – ar
ôl i chi ddod o hyd i'r gaseg?'

Sylwodd Twm iddi ddweud 'ni', a meddyliodd
y byddai wrth ei fodd yn mynd 'nôl i Dregaron
gyda Ledi Eluned. Ond wedyn dechreuodd
feddwl am yr hen fenthyciwr arian hwnnw ar
lawr y siop fawlyd yn y stryd gefn yn Henffordd,
ac am y carchar oedd yn ei aros petai'r
awdurdodau'n dod o hyd iddo. Roedd e'n
gwybod y byddai'r ffaith iddo ddianc o'r carchar
yn dweud yn ei erbyn os cai e fynd i'r ddalfa
eto. A rywfodd neu'i gilydd, roedd Twm yn siŵr
fod Quinn yn gwybod pwy oedd wedi lladd yr

hen ddyn. Wedi'r cwbwl, roedd e wedi dweud wrth ei ffrind (pwy bynnag oedd hwnnw) ei fod yn bwriadu mynd â'r perlau ato i'w gwerthu.

'Fe ddylai fod yn weddol hawdd dod o hyd i Quinn,' meddai Twm yn uchel, 'dw i'n gwybod nawr mai gwas Syr Henry Mortimer yw e. A rhaid bod digon o bobl yn nabod hwnnw.'

'Ie, ond beth wedyn, Twm?'

Trodd Twm ei ben i edrych arni. Roedd ei llygaid duon yn llawn pryder.

'Rwy'n ofni mai dechre rhagor o drwbwl a gofid fydd dod o hyd i'r dyn Quinn 'ma, Twm.'

Y funud honno daeth Mary i mewn o'r cefn.

'Mei ledi,' meddai, a dyna i gyd, gan sefyll yn swil yn y drws. Trodd Ledi Eluned ei phen.

'O, o'r gore, Mary, diolch,' meddai, gan godi o'i chadair wrth y tân a diflannu i'r cefn gyda Mary.

Beth oedd yn mynd ymlaen, ceisiodd Twm ddyfalu. Ymhen tipyn bach cododd ar ei draed ac aeth yn ddistaw at y drws oedd yn arwain i'r cefn. Gwelodd Ledi Eluned yn sefyll wrth fwrdd mawr ar ganol y llawr. Ar y bwrdd roedd ei ffrog felfed las. Yn ei hymyl roedd Mary a haearn smwddio mawr yn ei llaw. Aeth Twm 'nôl yn ddistaw i eistedd wrth y tân. Eisteddodd yno'n hir yn meddwl am lawer o bethau, yna dechreuodd deimlo'n flinedig a chysgodd yn drwm.

Cafodd ei ddihuno gan law ysgafn ar ei ysgwydd. Trodd ei ben a gwelodd Mary'n sefyll yn ei ymyl, a thu ôl iddi – Ledi Eluned.

'Eich dillad chi,' meddai Mary, gan gyfeirio at y gadair wag yn ei ymyl. Ar fraich y gadair gwelodd ei ddillad. Ai ei ddillad e oedden nhw? Edrychodd eilwaith oherwydd roedd y rhain yn lân ac wedi eu smwddio i edrych bron cystal â newydd.

'Diolch, Mary,' meddai, 'ry'ch chi wedi gwneud gwyrthiau â'r hen siwt yna.'

Ond ysgydwodd Mary ei phen. 'Na, nid fi, syr, nid fi . . .'

Trodd Twm i edrych ar Ledi Eluned. Gwelodd ei bod yn gwrido ac yn gwenu yr un pryd. Aeth pawb yn dawel am eiliad.

'Fe fydd y goets yma mewn chwarter awr,' meddai Ledi Eluned o'r diwedd.

Pennod 23

'Eluned!'

'Megan!'

Roedd Twm a Ledi Eluned wedi cyrraedd y tŷ mawr yn ymyl Haymarket yn Llundain. Yn syth wedi i'r drws gael ei agor gan y forwyn rhuthrodd Mrs George Courteney, neu Megan Tŷ Glyn, i gofleidio ei hen ffrind o Giliau Aeron.

'Eluned, rwy wedi bod yn poeni amdanat ti. Rwy wedi bod ar bigau'r drain er pan gyrhaeddodd y forwyn fach – Neli – gyda'r goets y bore 'ma. Dere mewn i'r stafell yma i fi gael clywed yr hanes i gyd. Ro'n i'n meddwl yn siŵr fod rhywbeth ofnadw wedi digwydd i ti. A doedd George ddim yma . . . felly doeddwn i ddim yn gwybod beth i'w wneud. Rwy wedi bod yn rhedeg o gwmpas ers orie, yn holi hwn a'r llall ac yn ceisio dod o hyd i George, ac yn y diwedd do'n i ddim wedi gallu helpu dim. Ond rwyt ti'n edrych yn iawn – dim tamaid gwaeth. Pe bai rhywbeth wedi digwydd i ti fe fyddwn i'n gwneud i George ymuno â Rhedwyr Bow

164

Street er mwyn lladd pob lleidr pen-ffordd yn y wlad.'

Wrth wrando ar y ffrwd yma o eiriau roedd Twm a Ledi Eluned wedi dilyn Mrs George Courteney i mewn i stafell fyw fawr â charpedi esmwyth ar ei llawr i gyd.

'Rhaid i ti eistedd fan hyn wrth y tân, Eluned. Cofia, rwy am glywed pob mymryn bach o'r hanes . . .' Stopiodd yn sydyn ac edrychodd ar Twm fel petai'n ei weld am y tro cyntaf. Trodd oddi wrth Twm at Ledi Eluned a'i llygaid yn ddau gwestiwn mawr.

Ddywedodd honno ddim am eiliad. Roedd hi am ddweud mai hwn oedd y gŵr ifanc roedd hi wedi'i ddewis yn hytrach nag etifedd Plas Ffynnon Bedr, a'i bod yn mynd i'w briodi'n syth ar ôl cyrraedd 'nôl yn Nhregaron. Ond sut allai ddweud hynny a Twm yn gwrando? Felly am eiliad neu ddwy wnaeth hi ddim ond gwrido ac edrych i'r tân. Ac am eiliad neu ddwy roedd y tri ohonyn nhw'n meddwl eu meddyliau eu hunain. Sylwodd Megan ei bod hi'n gwrido a meddyliodd, 'Wel, wel! Mae hi'n caru'r dyn ifanc, tal, gwallt tywyll 'ma! Pwy all e fod? Mae e'n edrych yn ddigon cyffredin 'i wisg hefyd.'

'Pam nad yw hi'n dweud pwy ydw i?' meddai Twm wrtho'i hunan. Ac yn sydyn meddyliodd fod cywilydd arni ei adnabod nawr o flaen ei ffrindiau cyfoethog yn Llundain. Fe'i gwelodd hi eto yn nillad Mary Hinds yn nhafarn y Bull yn Hounslow. Bryd hynny roedd hi mor gyffredin ag yntau. Ond nawr, a'i ffrog felfed las amdani unwaith eto, a'r dodrefn costus yma o'i chwmpas yn y tŷ mawr yn ymyl Haymarket, gwelodd Twm fod yna fwlch mawr rhyngddyn nhw, a theimlodd ei fod yn ffôl iawn i feddwl am ei chael yn wraig.

'Twm Siôn Cati yw hwn Megan, o Dregaron. Fe achubodd 'y mywyd i neithiwr.'

Roedd Ledi Eluned wedi dod o hyd i'w thafod o'r diwedd!

Ond roedd Mrs Courteney wedi dechrau siarad eto. Gan edrych yn graff ar Twm dywedodd, 'Hym, fe fydd e'n siŵr o dynnu sylw'r merched i gyd yn y wledd ym mhlas Lord North heno, Eluned. Mae bechgyn tal, tywyll yn ffasiynol iawn yn Llundain y dyddiau hyn. Hym, fe fydd rhaid i ni gael dillad eraill iddo, wrth gwrs. Nawr arhoswch chi . . .'

'Fe fydd y dillad yma'n iawn i mi, Mrs Courteney. Beth bynnag, dw i ddim yn bwriadu mynd i unrhyw wledd heno.'

'Na finne chwaith,' meddai Ledi Eluned.

Cododd Mrs Courteney ei haeliau'n uchel iawn.

'Ond, cariad! Fe fydd pawb – *pawb* – ym mhlas Lord North heno! Dyna lle mae

George druan, ers saith o'r gloch y bore 'ma, yn trefnu ar gyfer y *ball* flynyddol. Rwyt ti'n gwybod wrth gwrs, Eluned, mai Lord North yw'r Prif Weinidog?'

Gwenodd Ledi Eluned. 'Wrth gwrs.'

'Wel, dyna ti 'te. Ac rwyt ti'n gwybod mai George yw 'i Ysgrifennydd Preifat e? Druan ag e, mae cyfrifoldeb mawr ar 'i ysgwydde fe. Neithiwr daeth Lord North yn ôl o'r wlad, ac mae'r trefniade i gyd wedi disgyn ar ysgwydde George. Eisteddwch fan hyn, Twm Siôn Cati – pam ry'ch chi'n mynnu aros ar eich traed fan'na? Rwy'n hoffi gweld pobol yn 'u gneud 'u hunain yn gartrefol yn y tŷ 'ma.'

Eisteddodd Twm gyferbyn â Ledi Eluned.

'Ac fe fydd pawb sy'n rhywun yn Llundain yna heno, gewch chi weld. Rhaid i chi fynd i orffwys tipyn prynhawn 'ma. Rwy am i ti, Eluned, edrych dy ore heno.'

Roedd Ledi Eluned ar fin dweud unwaith eto na fyddai hi'n mynd i'r wledd pan dorrodd Twm ar ei thraws.

'Ydych chi'n nabod Syr Henry Mortimer, Mrs Courteney?'

Stopiodd y wraig fach siaradus ar ganol y llawr.

'Syr Henry Mortimer? Arhoswch chi, mae'r enw'n gyfarwydd, ond fedra i ddim cofio ar y funud. Ond fe fydd George yn ei nabod e, gewch chi weld. Mae George yn nabod pawb.

Mae bod yn wraig i Ysgrifennydd Lord North yn fy ngwneud i yn ferch go bwysig yn Llundain, cofia, Eluned. Pan gyrhaeddodd dy forwyn di bore 'ma fe es i ar unwaith i Bow Street i roi'r Rhedwyr ar waith i edrych amdanat ti. Doedd 'na neb yn cymryd fawr o ddiddordeb nes i fi ddweud pwy oeddwn i; ond y funud y deallon nhw mai gwraig George Courteney oeddwn i fe addawodd dau ohonyn nhw fynd ar unwaith i edrych mewn i'r mater. Ond fel digwyddodd hi roedd gyda ti rywun gwell o lawer i edrych ar dy ôl di.' A gwenodd ar Twm.

'Syr Philip Townsend?' gofynnodd Twm. 'Y'ch chi'n nabod hwnnw?'

'Syr Philip Townsend sy'n berchen stad lawr tua Henffordd?'

'Ie.'

'Ydw. Mae gydag e dŷ yma yn rhywle – Hanover Square? Ie, rwy'n siŵr mai fan'ny mae e'n byw pan fydd e yn Llundain.'

Yna canodd cloch y drws, a daeth sŵn traed un o'r morynion yn cerdded tuag ato i'w agor.

'O diar! Pwy sy 'na nawr 'to? Falle fod George wedi dod 'nôl! Fe fydd e'n falch o dy weld di, Eluned. Meddylia mai ar ddydd y briodas y gwelaist di e ddiwetha!'

Yna agorodd drws y stafell a daeth y forwyn i mewn.

'Dau o Redwyr Bow Street, ma'am!' A cherddodd dau ddyn mewn dwy wasgod goch i mewn i'r stafell. Roedd un ohonyn nhw'n dal ac yn denau, ac wrth ei arddwrn roedd ffon fer drwchus. Stevens! Toby Stevens!

Trodd Twm ei wyneb at y tân. A oedd y dyn ofnadwy wedi ei adnabod? Beth oedd e'n 'i wneud yma? A oedd rhywun wedi dweud wrth y Rhedwyr ei fod wedi cyrraedd y tŷ yma? Clywodd Stevens yn dweud, 'Ma'am, mae'n ddrwg gen i ddweud nad y'n ni wedi llwyddo i ddod o hyd i'r foneddiges, ond mae gen i beth gwybodaeth, ma'am . . . dy'n ni ddim wedi bod yn chwilio'n ofer. Mae'n debyg . . .'

'Ond mae wedi cyrraedd!' Torrodd Mrs Courteney ar ei draws. 'Mae wedi cyrraedd yn ddiogel, diolch i'r gŵr bonheddig yma.' Cyfeiriodd at Twm oedd yn edrych yn daer i'r tân.

'A!' Llais Stevens eto. 'Roeddech chi'n ffodus, ma'am, i ddianc o afael Tom Dorbell heb golli'ch eiddo.'

'Tom Dorbell oedd e?' gofynnodd Mrs Courteney.

'Ie, rwy'n meddwl bod hynny tu hwnt i unrhyw amheuaeth, ma'am.'

'Wel, rhaid i chi addo y byddwch chi'n dal y gwalch mor fuan ag sy'n bosib. Y'ch chi'n addo?'

'Fe wnawn ni'n gore, ma'am. Gobeithio y byddwch chi'n dweud wrth Mr Courteney ein bod ni'n gwneud ein gore.'

'Wrth gwrs.'

'A nawr, ma'am, os yw hi'n gyfleus, fe hoffen ni glywed tystiolaeth y foneddiges a'r gŵr bonheddig yma.'

'Wrth gwrs. Ac mi fydda inne'n eistedd fan yma'n ddistaw bach i wrando ar bob gair.'

'Diolch yn fawr, ma'am,' meddai Stevens. 'Nawr, chi, syr, yn gyntaf os gwelwch yn dda.'

Sylweddolodd Twm fod y cyfan ar ben. Am eiliad meddyliodd mai'r peth gorau i'w wneud fyddai rhuthro am y drws. Ond roedd y tŷ yma'n ddieithr iddo a'r drysau ynghau, a hyd yn oed pe bai'n gallu dianc o'r tŷ, y tu allan roedd dinas fawr a honno'n fwy dieithr fyth. Ond teimlai'n ddig wrth y dyn Stevens yma a'i siarad mawreddog, a'i ffon wrth ei arddwrn.

Yn sydyn cododd ar ei draed a throdd i wynebu'r ddau Redwr. Roedd Stevens wedi agor ei geg fawr i ddweud rhywbeth pan welodd wyneb Twm. Safodd am eiliad â'i geg ar agor, ac roedd Twm, a Ledi Eluned hefyd, yn gwybod ei fod wedi ei adnabod ar unwaith. Deallodd Ledi Eluned heb i neb ddweud yr un gair wrthi sut oedd pethau'n sefyll, a theimlodd ofn yn ei chalon.

Edrychodd Toby Stevens ar Mrs Courteney,

yna yn ôl ar Twm, a hawdd gweld ei fod mewn tipyn o benbleth. Wedyn gwenodd.

'Ry'n ni wedi cwrdd o'r blaen, syr, rwy'n meddwl . . .'

'Yn Henffordd,' meddai Twm.

'Ie, yn Henffordd. Mae'r amgylchiadau'n glir iawn yn fy meddwl i. Wel, wel! On'd yw'r byd yn lle bach wedi'r cyfan?'

Trodd yn sydyn at Mrs Courteney.

'Mae'n ddrwg gen i, ma'am, ond mae pethau wedi newid. Mae'r gŵr bonheddig yma wedi dianc o garchar Henffordd lle roedd e'n aros 'i brawf yn y Frawdlys am lofruddiaeth. Mae'n ddirgelwch i mi sut y cyrhaeddodd e yma yn eich cartre chi, ond mae'n debyg iddo ddod i mewn trwy dwyll.'

Neidiodd y fenyw fach siaradus ar ei thraed, ac edrychodd mewn dryswch a dychryn o un wyneb i'r llall.

'Ond . . . Eluned . . . beth yw ystyr hyn . . . Pam?'

Am unwaith yn ei bywyd roedd ei thafod wedi pallu. Yna roedd Ledi Eluned ar ei thraed hefyd a'i llygaid yn fflachio.

'Mae e wedi'i gyhuddo ar gam! Mae e'n ddieuog!' gwaeddodd.

Yna roedd pawb yn siarad ar draws ei gilydd. A'r funud honno cerddodd George Courteney i mewn i'r stafell.

Edrychodd yn syn ar yr olygfa o'i flaen. Ynghanol y cyffro doedd neb wedi sylwi ei fod wedi cyrraedd. Symudodd y ddau Redwr yn nes at Twm a safai hwnnw'n herfeiddiol ar ganol y llawr yn disgwyl amdanyn nhw.

'Beth yn y byd sy'n mynd ymlaen 'ma?'

Roedd y fath awdurdod yn llais George Courteney fel y tawelodd pob sŵn ar unwaith.

'Megan, beth sy wedi digwydd?' Yna sylweddolodd pwy oedd y ferch hardd yn y ffrog felfed las.

'Eluned Morgan!' Aeth ymlaen ati a chydio yn ei dwy law. 'Croeso i Lundain, Eluned, ac i'n tŷ ni'n arbennig! Ond beth sy'n mynd ymlaen 'ma? A fydd rhywun mor garedig ag egluro beth mae'r Bow Street Runners yn 'i wneud yn y tŷ?'

Yna dechreuodd Mrs Courteney grio. Aeth ei gŵr ati ar unwaith a rhoi ei fraich am ei hysgwydd.

'Nawr, nawr, cariad – be sy?' meddai'n fwy tawel. Yna, a'i phen ar ei ysgwydd, dechreuodd ei wraig siarad trwy ei dagrau.

'Roedd Eluned yn dod yma gyda'r goets neithiwr pan ymosododd lladron pen-ffordd . . .' Aeth y geiriau ar goll am dipyn ynghanol tipyn o snwffian. Ond roedd George Courteney'n ddyn amyneddgar, ac o dipyn i beth fe gafodd y stori'n weddol glir. Deallodd fod ei wraig wedi bod yn poeni pan gyrhaeddodd morwyn Eluned a dweud yr hanes am ei meistres yn diflannu i'r nos. Deallodd hefyd pam roedd Rhedwyr Bow Street yno pan ddywedodd ei wraig iddi fynd ar unwaith i ofyn am help i edrych am ei hen ffrind.

Roedd Mr Toby Sevens wedi bod yn ysu ers amser am gael dweud rhywbeth a nawr torrodd ar draws stori Mrs Courteney.

'Ond pan ddaethon ni yma, syr, i roi gwybod i Mrs Courteney nad o'n ni wedi llwyddo i ddod o hyd i'r foneddiges oedd ar goll, fe ddaethon ni ar draws y gŵr bonheddig yma – sydd, yn ôl tystiolaeth a roddwyd ger bron yr Ynadon yn Henffordd, yn euog o ladd benthyciwr arian o'r dref honno. Ro'n ni yn Bow Street wedi cael gwybodaeth o Henffordd 'i fod e wedi dianc o'r carchar, ond do'n ni ddim yn disgwyl 'i weld e yma, syr.' Roedd hanner gwên wawdlyd yn chwarae o gwmpas gwefusau tenau Mr Toby Stevens oedd yn dal i droi'r ffon fer am ei arddwrn.

Roedd yn gas gan George Courteney y dynion yma a'u gwasgodi coch. Roedd e'n gwybod eu hanes i'r dim. Roedd e'n gwybod mai Mr Henry Fielding, y nofelydd, oedd wedi ffurfio'r Bow Street Runners yn y lle cyntaf, pan oedd e'n Ynad yn Llys Bow Street, bron ddeng mlynedd ar hugain yn ôl. Mae'n debyg i'r Rhedwyr cyntaf wneud llawer o waith da. Ond erbyn hyn, roedd George Courteney'n gwybod

bod rhai o Redwyr Bow Street mor anonest â'r lladron gwaetha yn Llundain. Ac wrth edrych ar wyneb main Toby Stevens y funud honno gallai gredu'n hawdd fod y dyn yma mor anonest â'r un ohonyn nhw. Ac roedd George Courteney wedi cwrdd â digon o bobl o bob math erbyn hyn i fedru eu pwyso a'u mesur yn weddol gywir ar yr olwg gynta.

Yna edrychodd yn graff ar Twm Siôn Cati. Roedd gan hwn wyneb agored braf. Doedd dim cyfrwystra tu ôl i'r llygaid duon yma, meddyliodd George Courteney. Llofrudd? Roedd hi'n anodd coelio. Efallai iddo ladd rhywun ar ddamwain, mewn sgarmes neu rywbeth. Ond nid mewn gwaed oer. Ond, beth bynnag, nid ei fusnes e oedd profi hwn yn euog neu'n ddieuog. Gwaith y Frawdlys oedd hynny, ac roedd gan George ffydd yn y Gyfraith. Byddai'n cael bob chwarae teg. Ond roedd e wedi dianc o garchar – byddai hynny yn ei erbyn. Nawr rhaid cael gwared o'r tri dyn dierth yma cyn gynted ag y bo modd, er mwyn iddo gael cyfle i siarad ag Eluned. Teimlai George yn falch iawn o'i gweld gan ei bod yn ei atgoffa am ddyddiau hapus iawn yng Nghiliau Aeron flynyddoedd yn ôl.

'Wel . . . y . . .' dechreuodd George siarad, gan edrych eto ar y Rhedwr tal.

'Toby Stevens, at eich gwasanaeth bob amser, Mr Courteney, syr. A dyma Bert Wigg, syr.'

'Syr,' meddai'r ail Redwr gan fowio.

'Wel, Mr Stevens a Mr Wigg, rwy'n ddiolchgar iawn i chi am eich ymchwiliadau ynglŷn â'r foneddiges yma. Rwy'n siŵr i chi wneud eich gore i ddod o hyd iddi. Ond nawr gan 'i bod hi wedi cyrraedd yn ddiogel, wela i ddim bod angen i ni fynd â rhagor o'ch amser chi.'

Edrychodd Toby Stevens ar Twm, yna ar Ledi Eluned ac yn ôl ar George Courteney.

'Ac mae rhyddid i ni fynd â'r gŵr bonheddig yma gyda ni, syr?'

'Wrth gwrs – os yw e i ymddangos ger bron y Frawdlys yn Henffordd, fe fydd rhaid iddo ddod gyda chi.'

'Na, George, allwch chi ddim,' meddai Ledi Eluned.

'Ond Eluned!'

'George, rwy am gael gair â chi mewn stafell arall, os gwelwch chi'n dda.'

'O'r gore, Eluned, ond . . .'

'Ac rwy am ofyn i Mr Stevens a Mr Wigg aros yma nes down ni'n ôl, George.'

Edrychodd George Courteney arni mewn tipyn o benbleth.

'Arhoswch chi yma am funud neu ddwy, foneddigion?' gofynnodd. Ymgrymodd Toby Stevens, gan wenu.

'At eich gwasanaeth, syr. Gawn ni ddweud deng munud?'

Aeth George Courteney at ddrws ym mhen draw'r stafell a gwnaeth Ledi Eluned arwydd ar ei wraig i ddod gyda hi. Wedi i'r tri ddiflannu trwy'r drws dechreuodd Toby Stevens gerdded o gwmpas y stafell.

'Ac roeddet ti wedi meddwl dianc, oeddet ti?' meddai wrth fynd.

'Wel, roedd e'n ffôl iawn i ddod i Lundain, wyt ti ddim yn meddwl, Bert? Yn Llundain mae Toby Stevens a Bert Wigg yn perfformio. Do, fe fentrodd i ffau'r llewod, Bert – i ffau'r llewod.' Safodd yn ymyl Twm.

'Sut lwyddaist ti i ddianc o garchar Henffordd, e? Fe fydd rhaid cadw llygad ar y gwalch 'ma, Bert. Un tawel yw e – un distaw, Bert.'

Doedd ei gyfaill ddim yn gwrando arno. Roedd e wedi cerdded at fwrdd ynghanol y stafell lle roedd potelaid o win a gwydrau, a roedd e nawr yn ei helpu ei hun yn y fan honno. Clywodd Toby Stevens sŵn gwydrau a throdd ei ben i edrych. Yna gwenodd. 'A! Un drwg wyt ti, Bert Wigg, un distaw wyt tithe hefyd. Cofia am dy hen ffrind nawr, paid yfed y cwbwl. Fe gawn ni daith fach yn y goets tua fory neu drennydd 'ma, Bert. Taith braf ar draul y llywodraeth. Fe fydd rhaid anfon dau i Henffordd gyda hwn. Rwy'n hoff o'r wlad, Bert, mae'n rhaid i fi ddweud.'

'Ei di ddim â fi'n ôl i Henffordd,' meddyliodd Twm yn chwerw.

Roedd e wedi penderfynu ers amser ei fod yn mynd i wneud un ymdrech fawr i gael y gorau ar y ddau yma. Beth oedd yn mynd ymlaen yn y stafell arall? Roedd e'n gwybod, wrth gwrs, fod Ledi Eluned yn ceisio ei helpu, ond allai e ddim gweld sut y gallai hi wneud dim.

Yn y stafell arall roedd Ledi Eluned yn dadlau'n daer â George Courteney.

'Ond mae e'n ddieuog, George, ac rwy am iddo gael amser – dau ddiwrnod – i ddod o hyd i'r dyn Quinn yma. Mae Twm yn credu bod gan hwnnw rywbeth i'w wneud â'r llofruddiaeth yn Henffordd.'

'Ond sut allwch chi fod yn siŵr, Eluned, 'i fod e'n ddieuog?'

'Ond mae e wedi dweud yr hanes i gyd wrtha i! A pheth arall, roedd dau ddyn arall gydag e'r noson honno, ac maen nhw'n dystion.'

'Wel, os felly, gall y ddau dyst gael eu galw i'r Frawdlys, ac fe ddaw'n rhydd. Gadewch iddo fynd yn ôl i Henffordd i sefyll ei brawf. Mae gen i ffydd yn y Gyfraith, Eluned.'

'Ond mae e wedi dianc o garchar, George.'

'Eluned, ry'ch chi'n gofyn i fi bwyso ar y ddau Redwr i'w adael e'n rhydd yn Llundain am ddau ddiwrnod! Pa sicrwydd sy gen i na

177

fydd e'n dianc unwaith eto? A pheth arall, dw i ddim yn credu y byddai'r Runners yn cytuno oni bai 'mod i'n talu'n dda i'r ddau walch.'

'Mi rodda i 'ngair i chi, George, na fydd e'n dianc.'

Ysgydwodd George Courteney ei ben yn ddiamynedd.

'Eluned fach, fe ellwch chi roi eich gair, ond sut allwch chi fod yn siŵr na fydd e'n diflannu cyn gynted ag y bydd e allan trwy'r drws? Na. Eluned, fe wnawn i unrhyw beth i'ch helpu chi, ond ry'ch chi'n gofyn i mi ymyrryd â chwrs y Gyfraith nawr, a fedra i ddim gwneud hynny. Pam mae'r dyn mor bwysig i chi?'

'Mae e wedi achub 'y mywyd i, George.'

'Wnaeth e ddim byd mwy na fuase unrhyw ŵr bonheddig arall wedi'i wneud dan yr amgylchiade.'

'Rwy'n 'i garu e – rwy'n mynd i'w briodi e,' meddai Ledi Eluned yn dawel.

'Beth?' Edrychodd George Courteney mewn syndod arni. 'Megan! Oeddet ti'n gwybod am hyn?'

'Wrth gwrs 'mod i'n gwybod, George bach.'

Gwenodd y fenyw fach siaradus.

'Na, ddwedodd hi ddim, ond ro'n i'n gwybod yn iawn, serch hynny.'

'Ond sut . . ?'

'George bach! Ry'ch chi'r dynion mor

178

ddoeth ac mor wybodus, ond ambell waith ry'ch chi'n rhyfedd o dwp, neu'n ddall, ddylwn i ddweud.'

Cododd George Courteney ei law at ei dalcen.

'Mae hyn yn rhoi golwg newydd ar bethau. Af fi ddim i ofyn nawr, Eluned, beth ry'ch chi'n feddwl wrth benderfynu priodi dyn sy newydd ddianc o'r carchar, ond mae'n amlwg fod rhaid ceisio rhoi cyfle iddo brofi'i hunan yn ddieuog.'

'Y'ch chi'n meddwl y bydd y ddau ddyn yna'n fodlon?'

'Y ddau yna! Eluned fach, fe werthai'r ddau yna eu mam-gu am sofren!'

Pan gerddodd George Courteney 'nôl i'r stafell at y lleill, roedd Toby Stevens a'i gyfaill Mr Wigg newydd orffen y botel win. Eisteddai Twm wrth y tân a golwg ddiflas arno. Ond, a dweud y gwir, roedd yn gwylio pob symudiad gan ddisgwyl am y cyfle gorau i geisio dianc.

'Gair bach â chi yn y gornel os gwelwch yn dda, Mr Stevens a Mr Wigg,' meddai George Courteney. Aeth â'r ddau i ben pella'r stafell fawr.

'Mae 'na dystiolaeth newydd ei gosod ger 'y mron i,' meddai George yn isel, 'sy'n gwneud i fi gredu bod y gŵr bonheddig ifanc yma'n ddieuog o ladd y benthyciwr arian yn Henffordd.'

'Ond nid ein lle ni, syr, os maddeuwch chi i mi am ddweud hynny, yw penderfynu a yw dyn

179

yn euog ai peidio – gwaith y llys barn yw gwneud hynny. Gweision y Gyfraith ydyn ni, syr,' meddai Toby Stevens.

'Gweision y Diafol!' meddai George Courteney wrtho'i hunan.

'Ie gweishion y Gyfraith – yc!' meddai Mr Wigg, oedd yn dechrau teimlo effaith y gwin.

'Ac rwy wedi cael ar ddeall,' meddai George Courteney, gan wneud ymdrech fawr i beidio â cholli'i dymer, 'fod y bachgen yma'n teimlo fod siawns dda ganddo i brofi ei fod yn ddieuog pe bai e'n cael rhyw ddeuddydd i edrych am dystion yn Llundain . . .'

Roedd dannedd melyn Toby Stevens yn y golwg bob un. Roedd yn amlwg ei fod yn mwynhau ei hunan yn fawr. 'Ond mae hynny'n amhosib, syr. Fe fyddai Bert Wigg a minnau wrth ein bodd yn helpu chi, syr – chi sy mor agos at y Prif Weinidog – ond mae ein dyletswydd ni'n amlwg, syr, gwaetha'r modd.'

Tynnodd George Courteney god fach o'i boced. Hoeliodd y ddau Redwr eu llygaid arni.

'Na, rwy'n ofni, syr, na allwn ni ystyried y peth am unrhyw arian,' meddai Toby drachefn.

Pwysodd George Courteney'r god yn ei law.

'Mae fy ngwraig a minnau'n ddiolchgar iawn i chi eich dau am drio dod o hyd i Ledi Eluned Prys, ac fe garem ni roi rhywbeth i chi'n dâl am eich gwaith.'

180

Tynnodd un sofren felen allan o geg y god.

'Wrth gwrs, pe baech chi'n barod i gydsynio yn y mater arall 'ma . . .' Taflodd y god ar y bwrdd.

Edrychodd Toby Stevens arni gydag edmygedd. Dyma ŵr bonheddig oedd yn gwybod y triciau i gyd. Roedd hi'n mynd i fod yn bleser gwneud busnes â hwn.

'Gair â'm ffrind, Bert Wigg, os gwelwch chi'n dda, Mr Courteney.'

Tynnodd Bert i'r ochr a bu'r ddau'n sibrwd yng nghornel bella'r stafell am dipyn. Pan ddaethon nhw'n ôl roedd golwg ddifrifol ar wyneb Toby Stevens.

'Mae'r busnes yma'n afreolaidd iawn, Mr Courteney . . .'

Cododd George Courteney y god o'r bwrdd.

'Ond os gall y gŵr ifanc brofi nad fe laddodd yr hen ddyn? Yn wir, mae e'n credu y gall e ddod o hyd i'r llofrudd iawn pe bai'n cael dau ddiwrnod . . .'

'Pedair awr ar hugain, syr. Ie, mae fy nghyfaill Bert Wigg a finne'n teimlo y gallen ni ystyried pedair awr ar hugain, ar yr amod nad yw'r gŵr bonheddig ifanc yn mynd allan o'n golwg ni yn yr amser yma. Fe fyddaf fi neu fy hen ffrind, Bert Wigg, yn 'i ddilyn e fel cysgod Mr Courteney, er mwyn eich diogelu chi, syr, yn gymaint â dim.'

'Pedair awr ar hugain, iefe?' meddai George

181

Courteney yn ei feddwl. 'Os wy'n dy nabod di'r gwalch, mi fyddi di'n barod i fargeinio nos fory am bedair awr ar hugain arall. Er mwyn 'y niogelu i. Wel, wel!'

Gwenodd wrtho'i hunan ac estynnodd y god i Toby Stevens. Pwysodd hwnnw hi am eiliad yn ei law, yna roedd wedi diflannu o dan ei got.

'Fe fyddwn ni'n 'i gymryd e i'r ddalfa am bump o'r gloch nos fory, syr.' Ymgrymodd i George Courteney. 'Dydd da i chi, syr – mae wedi bod yn bleser gwneud busnes â chi. Tyrd, Bert, yr hen ffrind.' Ymgrymodd eto i gyfeiriad Mrs Courteney a Ledi Eluned wrth fynd allan trwy'r drws.

Cyn iddyn nhw gau'r drws clywodd pawb 'Yc!' uchel yn dod o gorn gwddf Mr Wigg, a oedd wedi yfed gormod o win yn rhy gyflym.

Pennod 24

Eisteddai Syr Philip Townsend yn ei stafell wely yn ei dŷ mawr yn Hanover Square. Roedd ganddo siswrn bach gloyw yn ei law dde ac roedd wrthi'n trimio'i farf fer a'i fwstás. Ar draws troed y gwely roedd cleddyf hir mewn gwain gerfiedig.

Gwenodd arno'i hunan yn y drych. Yfory byddai'n mynd ar y goets yn ôl i Elmwood Court, ei blas gerllaw Henffordd. Roedd wedi blino ar y brifddinas. Yn wir, byddai wedi mynd ar y goets y bore hwnnw oni bai am y wledd yng nghartref Lord North y noson honno. Nid er mwyn y wledd, ond o barch i'w hen gyfaill y Prif Weinidog, oedd wedi bod yn ffrind agos iddo pan oedd y ddau yn fechgyn ifanc, mentrus yn Llundain slawer dydd. Fe geisiodd Syr Philip gofio faint o flynyddoedd oedd ers hynny! Yn agos i hanner cant! Roedd Llundain wedi newid llawer yn yr amser hwnnw. Neu efallai mai fe oedd wedi newid? Beth bynnag, roedd yn edrych ymlaen am gael 'madael fore trannoeth.

Y bore hwnnw daeth llythyr gyda'r goets o Elmwood yn dweud bod Wilf a'r gaseg ddu wedi cyrraedd yn ddiogel. Fe deimlai dipyn o ryddhad o wybod bod y gaseg werthfawr yn bwyta ceirch yn dawel y funud honno yn stablau Elmwood. Daeth gwên i'w wyneb nawr wrth gofio'r ddwy ras a enillodd y gaseg yn Llundain. Roedd hi wedi bod yn werth y drafferth i gyd i'w gweld hi'n rhedeg yn erbyn ceffylau gorau gwŷr mawr Llundain, a'u curo.

Torrodd flewyn gwyn arall o'i fwstás. Yna clywodd gloch y drws yn canu. Ymhen tipyn clywodd sŵn traed yr hen Ruth, unig forwyn y tŷ yn Hanover Square, yn dringo'r grisiau. Cododd oddi wrth y drych a byclodd ei gleddyf wrth ei wregys. Gwenodd wrth feddwl mai rhyw hen arfer ffôl oedd hynny bellach. Roedd e wedi mynd yn rhy hen. Ond unwaith, meddyliodd, bu ofn cleddyf Syr Philip Townsend ar fwy nag un o gleddyfwyr enwog Llundain.

'Wel, Ruth?' meddai pan ddaeth yr hen forwyn i mewn.

'Rhywun i'ch gweld chi, syr.'

'Ond alla i ddim gweld neb nawr, Ruth. Rwy ar fin mynd allan. Pwy yw e?'

'Dim syniad, syr.'

'Wel, beth yw 'i enw e?'

'Enw od iawn, syr.'

'O wel, dwedwch wrtho na fedra i ddim

gweld neb heno. Na, fe ddweda i wrtho, rwy ar fy ffordd allan.'

Cydiodd yn ei got fawr borffor, ddrud oddi ar gefn y gadair ac aeth i lawr y grisiau.

Roedd drws y stafell fyw ar agor a thrwyddo gallai weld ei ymwelydd dieithr. Roedd ei gefn tuag ato yn edrych ar lun ceffyl coch, hardd uwchben y lle tân.

'Mae e'n edmygu llun y Swltan,' meddyliodd Syr Philip, 'o leia mae ganddo lygaid yn 'i ben.' Y Swltan oedd y ceffyl gorau a fu gan Syr Philip erioed, a bore trannoeth roedd e'n bwriadu mynd â'r llun gydag e 'nôl i Elmwood.

Cerddodd i mewn i'r stafell. Trodd ei ymwelydd ei ben pan glywodd sŵn ei draed. Safodd Syr Philip yn stond.

'Tom!'

'Syr Philip! Rwy'n fach iawn o'ch gweld chi, syr!'

'Tom! Ond o ble wyt ti wedi dod? Gest ti dy ryddhau? Ydyn nhw wedi dod o hyd i'r llofrudd?'

'Na, syr, rwy wedi dianc o garchar a . . .'

'Wedi dianc o garchar! Ond sut?'

'Mae'n stori hir iawn, syr . . .'

'Hir neu beidio, fe fydd rhaid i mi gael 'i chlywed hi i gyd. Ro'n i ar fin mynd i wledd, ond mae hynny allan o'r cwestiwn. Eistedd fan yma a rho'r newyddion i gyd i mi.'

'Ga i ofyn am eich newyddion chi'n gyntaf, syr?'

'Fy newyddion i? Wel, rwyt ti'n gwybod bod y gaseg wedi ennill dwy ras?'

'Na, syr.'

'Wel, mae wedi gwneud. Does yna ddim ceffyl all ei churo hi yn Llundain 'ma, Tom, coelia di fi. O ie, mae gen i dipyn o arian mewn llaw i ti hefyd. Rwy wedi talu'r ddyled i Syr John Sbens, ac mae 'na yn agos i gan gini dros ben.'

'Rwy'n falch iawn o glywed, syr, ac rwy'n ddiolchgar iawn am bopeth. Ble mae'r gaseg nawr?'

'Mae hi yn Elmwood.'

'Yn Elmwood?'

'Ie – fy lle i yn ymyl Henffordd. Fe anfones i Wilf â hi ddiwedd yr wythnos. Mae'r gaea'n dod nawr, Tom, a fydd 'na ddim llawer rhagor o rasio ar y gwastad, a charwn i ddim mentro dy gaseg di dros y cloddiau, rhag ofn iddi gael damwain a thorri'i choes.'

'A'r porthmon?'

'Mae e wedi mynd adre i Gymru. Ond ro'n ni'n dau wedi addo cwrdd yn Henffordd cyn y Frawdlys. Rwy wedi cael y cyfreithiwr gore yn Llundain i'th amddiffyn di. Ond dyma ti wedi dianc o'r carchar.'

Yna bu'n rhaid i Twm ddweud yr holl hanes wrth Syr Philip.

'A nawr, ry'ch chi'n gweld mai fy unig obaith yw dod o hyd i Quinn.'

'Ie, Quinn,' meddai'r hen ŵr bonheddig yn feddylgar, 'mae enw hwn yn dod i mewn i'r helynt drwy'r amser, on'd yw e? Gwas Syr Henry Mortimer, ddwedest ti?'

'Ie. Y'ch chi'n nabod hwnnw, syr?'

'Fe wn i 'i fod e wedi bod yn byw yn Henffordd am dipyn, ac rwy'n cofio clywed sôn 'i fod e mewn dyled i fwy nag un yno, dyna i gyd. Ond ble mae e nawr, dyna'r cwestiwn?'

'Fe all fod yn unrhyw le.'

'Ie. Na, Tom, fetia i 'i fod e yn Llundain yn rhywle.'

'Ydych chi wedi clywed rhywbeth, syr?'

'Na. Ond mae dynion fel Syr Henry Mortimer, Tom, yn cael eu tynnu i Lundain o hyd. Dyma lle mae canolfan pob drygioni, fachgen, ac fe fyddai Syr Henry a'i siort yn teimlo allan ohoni mewn unrhyw le arall. Aros! Mae gen i syniad.'

'Syr?'

'Rwy'n mynd i roi'r achos 'ma ger bron Lord North – mae e'n hen gyfaill i fi.'

'Y Prif Weinidog? Ond syr . . .'

Pennod 25

Ym mhlas Lord North roedd y neuadd fawr yn olau i gyd, a'r byrddau'n llawn bwydydd a diodydd o bob math. Hyd yn oed yn y gerddi ac ar y lawnt helaeth tu allan roedd lanternau'n hongian wrth frigau'r coed ac yn goleuo pob man.

Roedd Ledi Eluned newydd gael ei chyflwyno i'r Prif Weinidog gan Mrs Courteney, ond nawr roedd honno wedi ei gadael wrthi'i hunan am funud tra oedd hi'n cyflwyno rhywun arall i'r dyn mawr.

Eisteddodd Ledi Eluned ar soffa yn ymyl un o ffenestri mawr y neuadd oedd yn cyrraedd hyd y llawr. Edrychodd o'i chwmpas. Roedd Mrs Courteney wedi dweud y gwir pan soniodd y byddai pawb pwysig yn y wledd. O'i blaen gallai weld tyrfa fawr o wragedd a gwŷr bonheddig mewn dillad drud o bob lliw a llun.

Yn sydyn gwelodd Ledi Eluned rywbeth a wnaeth iddi ddal ei hanadl mewn dychryn. O'i blaen safai gwraig dal mewn ffrog felfed ddu. Roedd ei hysgwyddau'n noeth ac am ei gwddf roedd rhes o berlau a'r rheini'n fflachio yn y golau. Cododd Ledi Eluned ar ei thraed ac aeth gam yn nes ati. Gwelodd y wraig dal hi'n edrych a gwgodd arni.

'Be sy, madam?' gofynnodd. 'Oes cyrn yn tyfu arna i?'

Agorodd Ledi Eluned ei cheg ond allai hi ddim torri un gair. Edrychodd y wraig dal i lawr yn gas arni, yna trodd ei chefn a cherddodd i ffwrdd.

Edrychodd Ledi Eluned o gwmpas mewn penbleth. Ble roedd ei ffrindiau, George a Megan Courteney? Doedd dim sôn am yr un ohonyn nhw'n un man. Beth allai hi wneud? Sylweddolodd yn sydyn ei bod yn crynu fel deilen. Dechreuodd gerdded ar ôl y wraig dal.

'Eluned, mae'n ddrwg gen i dy adael di fel'na.' Roedd Megan Courteney yn ei hymyl.

'Megan!'

'Eluned! Be sy? Rwyt ti'n edrych fel taset ti wedi gweld ysbryd!'

Cydiodd Ledi Eluned ym mraich ei ffrind.

'Megan, y perlau. Rwy wedi gweld y perlau!'

'Y perlau? Beth wyt ti'n feddwl?'

'Rwy newydd 'u gweld nhw ar wddf rhyw wraig dal mewn ffrog ddu.'

'Y rhaff berlau sy ar goll?'

'Ie, ie.'

'Wyt ti'n siŵr?'

'Yn berffaith siŵr.'

'Sut y galli di fod mor bendant?'

'Ond weles i nhw! Roedd y saffir glas yn y canol. A phan drodd hi 'i chefn weles i'r ddolen arian oedd yn clymu'r ddau ben. Roedd hi wedi torri rywbryd ac roedd hi wedi ca'l 'i thrwsio gan y gof yn Nhregaron yn ddigon anniben. Ro'n i'n nabod y rhaff wrth y saffir glas, ond pan weles i'r cefn doedd dim amheuaeth o gwbwl.'

'Ond sut . . ?' Edrychodd Mrs Courteney ar ei ffrind. 'Beth wyt ti am wneud nawr?'

'Rhaid i ni ofyn i'r wraig 'na ble cafodd hi'r rhaff berlau.'

Daeth golwg ofidus i wyneb Mrs Courteney.

'Rhaid i ni ofalu na fydd unrhyw drwbwl yn digwydd 'ma heno. Gad i ni fynd i edrych am George, fe fydd e'n gwbod beth i'w neud.'

'Rhaid i ni beidio â cholli golwg ar y wraig yna, Megan, neu fe fydd ar ben.'

Cerddodd y ddwy trwy'r dorf â Megan Courteney yn cadw llygad am George, a Ledi Eluned yn edrych i bob cyfeiriad am y wraig dal.

Yn sydyn, wrth ddigwydd edrych i gyfeiriad y drws, gwelodd hen ŵr bonheddig cloff mewn dillad costus yn cerdded i mewn, ac yn dynn wrth ei sodlau roedd Twm Siôn Cati! Edrychodd Ledi Eluned mewn syndod am eiliad, yna

190

rhedodd tuag at y ddau a gadael ei ffrind yn y man.

'Twm!' meddai'n wyllt. 'Rwy wedi gweld y rhaff berlau!'

'Beth?' gofynnodd Twm. 'Gweld y perlau! Ond ble?'

'Maen nhw am wddf rhyw wraig dal . . . mae hi yma nawr yn rhywle.'

Edrychodd Twm o gwmpas yn wyllt.

'Ellwch chi 'i gweld hi?'

Yna pesychodd yr hen ŵr bonheddig yn ei ymyl.

'O . . . y . . . maddeuwch i mi,' meddai Twm, 'dyma Syr Philip Townsend — Ledi Eluned Prys o Dregaron, syr.'

Edrychodd yr hen Syr Philip mewn edmygedd ar y foneddiges hardd o Gymru. Cydiodd yn ei llaw a phlygodd drosti yn hen ffasiwn o gwrtais.

'Rwy wedi clywed cymaint amdanoch, madam,' meddai wrth ryddhau ei llaw, 'ond fe gawn ni amser i ddod i nabod ein gilydd eto. Nawr dangoswch i ni'r wraig yma sy'n gwisgo'r perlau, os gwelwch yn dda.'

'Dilynwch fi,' meddai Ledi Eluned gan arwain y ffordd i'r cyfeiriad y gwelodd y wraig dal yn mynd bum munud ynghynt.

Yn sydyn stopiodd Ledi Eluned ar ganol y llawr.

''Co hi fan'co!' meddai. Ac yn wir, dyna lle

roedd hi'n siarad â George a Megan Courteney a'i chefn yn pwyso ar un o'r tri philer mawr oedd yn y neuadd. Am y tro cyntaf sylwodd Ledi Eluned ei bod hi'n wraig hardd iawn. Roedd yn gwenu ac yn siarad â George a Megan Courteney fel pe baen nhw'n hen ffrindiau. Cyn cyrraedd atyn nhw stopiodd Syr Philip yn stond.

'Ond rwy'n nabod hon!' meddai mewn syndod. 'Julia Cavendish, yr actores enwog, yw hi!' Trodd at Ledi Eluned. 'Does dim posib eich bod chi'n anghywir, oes e, madam?'

'Na, rwy'n berffaith siŵr.'

Edrychodd yr hen ŵr bonheddig i fyw ei llygad.

'Rwy'n eich credu chi, wrth gwrs, ond mae rhyw ddirgelwch mawr fan hyn. Fydd gwahaniaeth gyda chi adael i mi ddelio â'r mater?'

Ysgydwodd Ledi Eluned ei phen.

'O'r gore, 'mlaen â ni i'r frwydr,' meddai Syr Philip gan gerdded yn herciog i gyfeiriad y tri oedd yn siarad wrth ymyl y piler.

Wedi cyrraedd atyn nhw, pesychodd Syr Philip a throdd y wraig dal ei phen. Agorodd ei llygaid, a daeth gwên hyfryd i'w hwyneb pan welodd Syr Philip yn sefyll yn ei hymyl.

'Syr Philip! Do'n i ddim yn disgwyl eich gweld *chi*!'

Estynnodd ei llaw iddo.

'Madam Julia!' meddai Syr Philip gan gydio'n dynn yn ei llaw. 'Ry'ch chi'n edrych yn harddach nag erioed, madam, os ca' i ddweud hynny.' Cododd ei llaw at ei wefusau.

'Ac ry'ch chithe, Syr Philip, yn edrych fel llanc. Ond dy'n ni ddim wedi cael eich cwmni chi yn y theatr ers amser. Beth sy'n bod? A y'ch chi wedi cael digon ar ein perfformiade ni, syr?'

'Digon ar eich perfformiade chi, Madam Julia? Na, na!' Ochneidiodd. 'Henaint ni ddaw ei hunan, madam. Mae bywyd yn y brifddinas yn rhy brysur i hen ŵr fel fi. Ers sawl blwyddyn bellach rwy wedi dewis byw yn nhawelwch y wlad . . .'

Ond nawr roedd y wraig dal yn edrych ar Ledi Eluned, ac roedd gwg ar ei hwyneb hardd.

'Dw i ddim yn meddwl 'mod i'n nabod y foneddiges yma, Syr Philip. Gyda chi mae hi?'

'Ie, Madam Julia.'

'Pam mae hi'n edrych arna i fel'na, syr?'

'Y . . . nid edrych arnoch chi mae hi, madam.'

'Maddeuwch i fi, Syr Philip!'

'Na, na. Gadewch i mi egluro, os gwelwch chi'n dda. Mae gan y foneddiges 'ma – mae gyda ni i gyd, a dweud y gwir – ddiddordeb yn y perlau 'na sy'n edrych mor hardd ar eich gwddf chi, Miss Julia.'

Cododd Julia Cavendish ei llaw at ei gwddf.

'Ond . . . maddeuwch i mi, Syr Philip, ond dw i ddim yn deall.'

'Mae 'na le i gredu, madam, mai'r foneddiges yma – Ledi Eluned Prys – yw perchennog y perlau.'

Doedd dim angen llygaid craff iawn i weld bod yr hen Syr Philip, ar waetha'i holl gwrteisi, wedi rhoi ei droed ynddi. Fflachiodd llygaid y wraig dal.

'Syr Philip! Wel!' meddai gan edrych yn gas arno.

Dechreuodd George a Megan Courteney edrych yn anesmwyth iawn.

'Beth y'ch chi'n feddwl, Syr Philip?' meddai Julia Cavendish wedyn.

'Peidiwch â 'nghamddeall i, Madam Julia; gobeithio y galla i egluro popeth i chi.'

'Gobeithio y gallwch chi, wir. Dy'ch chi ddim am awgrymu 'mod i wedi dwyn y perlau, y'ch chi?'

'Chymerwn i ddim mo'r byd am awgrymu'r fath beth. Ond gyda'ch caniatâd chi fe garwn i ofyn i chi ble cawsoch chi'r perlau?'

'Eu cael nhw'n anrheg gan fy ngŵr wnes i.'

'A'ch gŵr? Oes gennych chi syniad ble y cafodd e nhw?'

Ysgydwodd yr actores ei phen yn ddiamynedd.

'Does gennych chi dim busnes i'm holi i fel hyn!'

194

'Madam Julia, os gwelwch chi'n dda – fe all bywyd y gŵr ifanc 'ma ddibynnu ar eich ateb chi.' Pwyntiodd Syr Philip at Twm a sylwodd Julia Cavendish arno am y tro cyntaf. Edrychodd ar ei ddillad cyffredin, yna sylwodd ar yr olwg ofidus ar wyneb Ledi Eluned.

Yna trodd yn ôl at Syr Philip â golwg fwy meddal ar ei hwyneb.

'Rwy'n meddwl 'mod i'n eich nabod chi'n ddigon da, Syr Philip, i wybod na fuasech chi'n holi cwestiynau fel hyn oni bai fod gyda chi reswm da dros wneud hynny.'

'Diolch, Madam Julia,' meddai'r hen ŵr bonheddig. 'Mae'n debyg mai 'u prynu nhw mewn rhyw siop neu'i gilydd wnaeth eich gŵr? Tawn i'n cael enw'r siop . . .'

'Nage, 'u hennill nhw wnaeth e.'

''U hennill nhw, Madam Julia?'

'Ie, wrth chwarae cardie – yng Ngwesty Maldano – dyna lle mae e heno, os nad y'ch chi'n fy ngredu i . . .'

'Rwy'n eich credu chi, wrth gwrs,' meddai Syr Philip.

'Cafodd hwyl arni un noson. Rwy'n meddwl iddo ddweud iddo ennill yn agos i dri chan punt oddi wrth un dyn, ac fe gynigiodd hwnnw'r rhaff berlau iddo gan 'i fod e'n brin o arian ar y pryd.'

'Ddwedodd e enw'r dyn?' gofynnodd Syr

Philip, a phwysodd Twm ymlaen i glywed ei hateb.

'Yn wir, Syr Philip,' meddai'r actores, 'dw i ddim yn meddwl y dylwn i ddweud enw'r gŵr bonheddig yma.'

'Mae'r mater yn bwysig, madam, credwch fi,' pwysodd Syr Philip.

Edrychodd Julia Cavendish unwaith eto o gwmpas yr wynebau o'u hamgylch.

'Syr Henry Mortimer,' meddai o'r diwedd.

Edrychodd Syr Philip ar Twm. Roedd golwg gynhyrfus ar hwnnw.

'A nawr, Syr Philip,' meddai Mrs Cavendish, 'dw i ddim yn bwriadu ateb rhagor o gwestiynau.'

'Un arall, annwyl Madam Julia, os gwelwch yn dda – er fy mwyn i. Cyfeiriad Syr Henry Mortimer – ydych chi'n digwydd gwybod hwnnw?'

Ysgydwodd yr actores ei phen. 'Does gen i ddim syniad, ond dwi'n gwybod 'i fod e'n mynychu Gwesty Maldano'n aml. Os ewch chi yno fe fydd rhywun yn siŵr o fod yn gwybod 'i gyfeiriad.'

'Diolch o galon, Madam Julia. A nawr, os maddeuwch chi i ni, mae'n rhaid i ni fynd.'

'I ble?' gofynnodd Megan Courteney.

'I Westy Maldano,' meddai Syr Philip.

'Arhoswch,' meddai Julia Cavendish.

'Madam?'

'Ar ôl i mi ateb cymaint o gwestiynau i chi, Syr Philip, rwy'n meddwl 'i bod hi'n deg i chi ateb un neu ddau i mi.'

Bowiodd Syr Philip.

'Yn y lle cynta, beth yw'r holl holi am y perlau 'ma?' gofynnodd yr actores.

'Wedi 'u dwyn y maen nhw, madam, ac mae 'na hen ddyn wedi'i lofruddio yn Henffordd o'u hachos nhw.'

'Hen ddyn wedi'i lofruddio!' Cododd Julia Cavendish ei dwylo at y rhaff berlau am ei gwddf. 'Arswyd y byd!' Cydiodd yn nolen y rhaff berlau a thynnodd hi oddi ar ei gwddf. 'Dyma'r perlau i chi, Syr Philip. Fedra i ddim 'u diodde am fy ngwddf funud yn rhagor; a pheth arall, mae'n debyg y bydd 'u hangen nhw arnoch chi i ddal y llofrudd.'

Cymerodd Syr Philip y rhaff.

'Diolch unwaith eto,' meddai. 'Mae'n bosib eich bod chi wedi achub bywyd y gŵr ifanc yma heno, Madam Julia. Ond rhaid i ni fynd ar unwaith. Fory fe garwn i alw i'ch gweld er mwyn i chi gael yr hanes i gyd . . .'

'Gwnewch hynny, Syr Philip,' meddai hithau dan wenu.

'Tyrd, Tom,' meddai'r hen ŵr bonheddig. 'Os cawn ni lwc heno fe fydd dy broblemau di wedi eu datrys cyn y bore.'

'Rwy'n barod, syr,' meddai Twm.

197

Yna teimlodd law ar ei fraich.

'Byddwch yn ofalus,' meddai Ledi Eluned yn dawel.

Aeth Twm a Syr Philip yn frysiog allan o'r neuadd lawn ac i lawr y lôn lydan oedd yn arwain i'r stryd. Roedd y ddau mewn cymaint o frys fel na welson nhw'r cysgod tal a ddaeth allan o dan y coed a'u dilyn. Roedd gan y 'cysgod' hwnnw wasgod goch a ffon wrth ei arddwrn. Mr Toby Stevens oedd e.

Pennod 26

Yng Ngwesty Maldano roedd lampau llachar yn hongian uwchben y byrddau gwyrdd lle roedd gwŷr bonheddig hen ac ifanc yn chwarae cardiau.

Roedd Maldano'n cerdded o un stafell i'r llall i weld bod popeth yn iawn. Roedd e'n ddyn enwog yn Llundain yn y blynyddoedd hynny – yn enwog am ei gryfder a'i fwyd blasus. Doedd hi ddim yn hawdd cadw trefn a heddwch yn ei westy bob amser. Weithiau byddai cweryl yn codi am y cardiau a byddai ambell ŵr bonheddig yn tynnu ei gleddyf neu ei bistol. Bryd hynny byddai Maldano'n symud yn gyflym ar waetha'i gorff mawr, lletchwith. Cyn pen winc fe fyddai'r ddau oedd yn mynd i ymladd yn eu cael eu taflu allan i dywyllwch y stryd. Doedd dim gwahaniaeth gan Maldano beth fyddai'n digwydd iddyn nhw wedyn. Fe allen nhw saethu ei gilydd os mynnen nhw, cyn belled â'u bod yn gwneud hynny y tu allan i'w westy enwog e. Ond fel arfer fe fyddai'r ddau oedd yn cweryla'n mynd adre heb greu rhagor o helynt. Ond nawr roedd

199

Maldano'n teimlo'n anesmwyth. Cerddai o gwmpas yn ddistaw dros y carpedi trwchus, ond heb fynd ymhell oddi wrth un bwrdd ynghanol y stafell fawr.

Wrth y bwrdd hwnnw eisteddai tri gŵr bonheddig yn chware cardiau – John Cavendish, gŵr Madam Julia Cavendish, oedd un; Daniel Lawrence, y banciwr cyfoethog o ddinas Llundain oedd y llall; a'r olaf oedd Syr Henry Mortimer.

Roedd potelaid o win coch wrth benelin Syr Henry a phob nawr ac yn y man byddai'n arllwys llond gwydr iddo'i hunan. Roedd ei wyneb yn goch a'i lygaid yn disgleirio wrth wylio'r cardiau'n disgyn ar y bwrdd o un i un. Y funud honno teimlai'n ddig wrth y cardiau ac wrth y ddau oedd yn eistedd gydag e. Pam na fyddai ei lwc yn troi? Roedd wedi colli – colli ers wythnosau. Daeth at y bwrdd y noson honno gan feddwl yn siŵr ei fod yn mynd i ennill. Felly roedd hi o hyd. Ond rywfodd neu'i gilydd roedd lwc wedi ei adael. Mwyaf yr oedd yn colli, mwyaf oedd ei awydd i fetio rhagor. Yn barod y noson honno roedd wedi colli mwy o arian nag oedd ganddo i'w dalu pan fyddai'r chwarae'n dod i ben.

Ond byddai ei lwc yn siŵr o droi ond iddo ddal ati. Edrychodd ar Daniel Lawrence. Eisteddai hwnnw'n syth yn ei gadair gan ddal y cardiau'n agos at ei wyneb.

'Mae e'n edrych fel hen lwynog,' meddai Syr Henry wrtho'i hunan, gan edrych ar wyneb hir, tenau'r banciwr. Wedyn taflodd gipolwg i gyfeiriad John Cavendish. Eisteddai hwnnw'n ddioglyd yn ei gadair â hanner gwên ar ei wyneb, heb ofni colli nac ennill. 'Ac eto mae e'n un o'r chwaraewyr mwya lwcus welais i erioed,' meddyliodd Syr Henry'n chwerw.

Yn sydyn sylweddolodd fod rhywun yn sefyll wrth ei ochr. Trodd ei ben ac edrychodd i fyny i lygaid du Maldano. Am eiliad edrychodd y ddau ar ei gilydd. Roedd yr olwg ar wyneb Maldano'n ddigon i ddweud wrth Syr Henry fod y dyn mawr yn gwybod ei gyfrinach – yn gwybod nad oedd ganddo ddigon o arian i dalu ei ddyledion. Roedd e'n gwybod hefyd y byddai Maldano'n ei wylio fel cath yn gwylio llygoden weddill y nos, nes byddai wedi gadael yr adeilad. Deallodd Syr Henry'r cyfan hyn heb i'r un ohonyn nhw dorri gair. Ond synnodd braidd pan blygodd Maldano a sibrwd yn ei glust, 'Dau ŵr bonheddig i'ch gweld chi, syr.'

'Eisie 'ngweld i? Ond fedra i ddim gweld neb nawr, rwy ar hanner chwarae. Pwy ydyn nhw?'

'Dim syniad, syr.'

'Wel dwed wrthyn nhw . . .' Yna stopiodd Syr Henry ar hanner brawddeg. Sylweddolodd fod hwn yn gyfle iddo sleifio allan heb yn wybod i neb a heb orfod talu ei ddyledion. Pwy bynnag oedd y ddau ddyn oedd wedi dod i'w weld, roedden nhw wedi rhoi esgus iddo godi o'r bwrdd.

'Dwed wrthyn nhw 'mod i'n dod ar unwaith,' meddai wrth Maldano.

Gwgodd y banciwr a gwenodd John Cavendish.

'Brysia'n ôl, gyfaill,' meddai'r olaf, 'rwy'n teimlo'n lwcus heno.'

Pesychodd Daniel Lawrence. 'Ydych chi'n siŵr, syr, y byddwch chi'n dod 'nôl? Efallai fod yn well gennych chi setlo . . .'

'Na, na. Munud yn unig fydda i, gyfeillion.'

Roedd Syr Henry'n gwybod bod Maldano'n ei wylio. A oedd hanner gwên yn chwarae o gwmpas ei wefusau trwchus? Beth bynnag, arweiniodd e ar draws y llawr ac at ddrws ymhen draw'r stafell. Roedd hwnnw'n arwain i stafell dipyn llai lle roedd dau ddyn yn sefyll â'u cefnau at y lle tân. Edrychodd Syr Henry o un i'r llall. Roedd un ohonyn nhw'n hen, yn dal ac yn drwsiadus iawn ei wisg. Gŵr ifanc tal, pryd tywyll oedd y llall. Doedd Syr Henry ddim wedi gweld yr un ohonyn nhw o'r blaen.

'Syr Henry Mortimer?' gofynnodd yr hen ŵr bonheddig.

'Ie, dyna fy enw i. A chi, syr? Dw i ddim yn meddwl . . .'

'Syr Philip Townsend o Elmwood gerllaw Henffordd.'

Henffordd! Curodd calon Syr Henry'n gyflymach.

'Wel,' meddai, 'beth yw'ch busnes chi â fi?'

Edrychodd Syr Philip ar Maldano oedd yn dal i sefyll wrth ymyl y drws. Ond doedd y dyn mawr ddim yn edrych fel petai'n barod i symud.

'Hon!' meddai Syr Philip ar ôl eiliad o ddistawrwydd, ac yn sydyn roedd rhaff berlau'r Dolau yn fflachio yn ei law. Roedd Twm Siôn Cati'n gwylio Syr Henry'n ofalus. A oedd ei foch wedi gwelwi pan welodd y perlau?

'A, perlau! Maen nhw'n edrych yn rhai gwerthfawr. Ond pam ry'ch chi'n eu dangos nhw i fi?'

'Roedd y gŵr ifanc 'ma,' meddai Syr Philip, gan gyfeirio at Twm, 'yn cario'r rhain pan ymosodwyd arno fe yn Henffordd. Pan ddaeth e ato'i hunan roedd y perlau wedi diflannu.'

Oedd – roedd Twm yn siŵr fod wyneb Syr Henry wedi gwelwi. Ond fe atebodd Syr Philip yn ddigon swta serch hynny.

'Beth sydd gan hynny i'w wneud â fi?' gofynnodd.

'Ry'n ni wedi clywed, syr, eich bod chi wedi defnyddio'r perlau 'ma i dalu eich dyled i Mr Cavendish . . .'

'Celwydd!' gwaeddodd Syr Henry.

Trodd Syr Philip at Maldano.

'Ydy hi'n bosib, syr, fod Mr Cavendish yma heno?'

Nodiodd Maldano.

'Falle y byddech chi cystal â gofyn iddo ddod yma am funud.'

Ond symudodd y dyn mawr ddim. A dweud y gwir roedd ofn arno golli golwg ar Syr Henry.

'Rwy'n erfyn arnoch chi, syr, mae'r mater yn bwysig,' meddai Syr Philip.

Aeth Maldano allan a chau'r drws.

Pan dynnodd Twm a Syr Philip eu llygaid oddi ar y drws roedd Syr Henry Mortimer wedi tynnu pistol du allan o dan ei got.

'Peidiwch â symud gewyn, yr un ohonoch chi,' meddai.

Aeth llaw yr hen Syr Philip yn nes at garn ei gleddyf.

'Peidiwch â gwneud dim byd ffôl, Syr Philip. Na tithe,' gwaeddodd yn siarp pan welodd Twm yn dod gam yn nes.

'Syr,' meddai Syr Philip, 'mae hyn yn profi fod gyda chi rywbeth i'w wneud â dwyn y perlau!'

Chwarddodd Syr Henry. 'O'r gore – fe gewch chi wybod hynny beth bynnag gan John Cavendish pan ddaw e. Ond mi fydda i'n ddigon pell erbyn hynny. A pheidiwch â thrio 'nilyn i. Mae Llundain yn lle mawr iawn ac mae 'ma ugeiniau o strydoedd bach tywyll . . .'

Wrth ddweud hyn roedd yn mynd wysg ei gefn am y drws gan wylio Syr Philip a Twm bob eiliad.

'Ti laddodd y dyn yn Henffordd hefyd?' gofynnodd Twm yn sydyn, pan oedd Syr Henry wedi agor y drws.

Am eiliad, meddyliodd Twm y byddai'r dihiryn yn ei saethu'n gelain yn y fan. Doedd e erioed wedi gweld golwg mor gas ar wyneb neb. Gwelodd y pistol yn ei law yn codi fodfedd yn uwch ac yn anelu'n union at ei fynwes.

Ond rhaid bod Syr Henry wedi newid ei feddwl, oherwydd yr eiliad nesaf roedd wedi diflannu a'r drws wedi cau. Yna clywodd y ddau yr allwedd yn troi yn y clo.

'Welaist ti 'i wyneb e, Tom? Os gwelais i olwg euog ar unrhyw un erioed . . .'

'Ond mae e'n dianc, syr! Rhaid i ni fynd ar ei ôl!'

Pennod 27

Cerddai tri dyn yn frysiog trwy strydoedd tywyll Llundain. Cerddai un – dyn tal, tenau – ryw ddwylath o flaen y ddau arall. Hwnnw oedd yn arwain, ac er bod y strydoedd bach hynny'n gul ac yn gymhleth aeth yn ei flaen ar ras. Roedd e'n gwybod ei ffordd ar waetha'r tywyllwch. Yn wir, allai'r ddau arall ddim fod wedi cael gwell arweinydd, oherwydd roedd y dyn tal, tenau'n adnabod Llundain yn well na neb, a doedd dim llawer o strydoedd cefn nad oedd e wedi eu cerdded rywbryd. Mr Toby Stevens oedd hwn. Ar ôl clywed hanes yr hyn oedd wedi digwydd yng Ngwesty Maldano, ac ar ôl i Syr Philip roi deg gini arall, roedd e wedi cytuno i'w harwain i Weavers Lane lle, yn ôl Maldano a John Cavendish, roedd Syr Henry Mortimer yn byw. A dweud y gwir, doedd ganddyn nhw fawr o obaith y byddai hwnnw'n ddigon ffôl i fynd yn syth i'w gartref ar ôl dianc o'u gafael. Ond gan nad oedd ganddyn nhw unrhyw wybodaeth arall amdano, doedd dim i'w wneud ond dilyn y trywydd yma.

'Dyma Weavers Lane,' meddai Toby Stevens.

'Hy! Diolch byth!' meddai Syr Philip. Roedd yr hen ŵr bonheddig wedi cael gwaith dilyn y ddau arall a nawr roedd bron â cholli ei wynt.

Aeth Toby Stevens yn syth at y nawfed tŷ ar y chwith. Ar y dechrau meddyliodd y tri fod y tŷ yn hollol dywyll, ond wedi mynd yn nes dyma nhw'n gweld mai llenni tywyll oedd dros y ffenestri, a bod un llafn bach o olau yn dod trwyddyn nhw. Roedd reilin haearn isel o flaen y ffenest. Neidiodd Twm dros y reilin ac aeth yn ddistaw bach at y crac yn y llenni. Gallai weld i mewn i'r stafell. Gallai weld lle tân a darn o bren ar hanner llosgi yn y grât. Yna gwelodd ddwy droed yn pwyso ar y pentan, ac wedi ymestyn tipyn o'i wddf gwelodd wyneb llwyd a phen hanner moel ei hen elyn – Quinn. Roedd bwrdd wrth ei benelin a photel o win ar honno. Roedd yn amlwg fod Quinn yn gwneud y gorau o bethau tra oedd ei feistr oddi cartref, a hawdd gweld wrth yr olwg hamddenol ar ei wyneb nad oedd e'n gwybod dim am yr hyn oedd wedi digwydd i'w feistr y noson honno.

Aeth Twm yn ôl yn ddistaw at y lleill a sibrydodd wrthyn nhw yr hyn roedd e wedi ei weld.

'Sut awn ni i mewn?' gofynnodd wedyn.

'Rhaid i ni beidio â cholli'r deryn yma fel y

gwnaethon ni gyda'r llall neu fe fydd hi ar ben arnon ni.'

Buodd y tri'n trafod y broblem yma am dipyn, cyn penderfynu derbyn cynnig Toby Stevens.

'Mae drws cefn i bob un o'r tai yma,' meddai Toby, a synnodd Twm fod y Rhedwr yn gwybod hynny, 'felly rwy'n awgrymu, foneddigion, 'mod i'n mynd i'r cefn i ofalu na fydd yr aderyn ddim yn hedfan y ffordd honno. Fe gewch chwithe fynd at y drws ffrynt. Os bydd e'n gwrthod agor y drws, fe alwa i arno yn enw'r Gyfraith.'

Aeth Toby i ffwrdd i'r tywyllwch, ac wedi aros rhai munudau iddo gyrraedd cefn y tŷ, aeth Syr Philip a Twm yn syth at ddrws y ffrynt.

Roedd Syr Philip wedi codi ei law i guro'r drws, ond cydiodd Twm yn y glicied. Agorodd y drws yn hawdd a cherddodd Twm i mewn i gyntedd tywyll. Ond o'i flaen gallai weld golau'n dod o dan ddrws arall. Agorodd hwnnw hefyd o dan ei law. Yr eiliad nesaf roedd Quinn ac yntau wyneb yn wyneb.

Daeth traed Quinn i lawr yn sydyn o ben y pentan ac am eiliad bu'r ddau'n llygadu ei gilydd. Roedd Twm yn teimlo rhyw lawenydd mawr yn ei galon y funud honno. Dyma ben y daith. Dyma Quinn. Unwaith, dim ond enw ac wyneb oedd e; ond dyma fe'n gyfan o'r diwedd. Quinn – achos y cyfan oedd wedi digwydd i Twm ers diwrnod y ras fawr yn Henffordd.

Cydiodd Quinn yng ngwddf y botel oedd ar y bwrdd a rhuthrodd ato. Trawodd Twm e rhwng ei ddau lygad â'i ddwrn chwith. Syrthiodd Quinn yn ôl yn erbyn y grât a thasgodd gwreichion o'r pren a oedd yn llosgi ar y tân. Neidiodd o ganol y gwres fel petai wedi cael ei saethu. Yna trawodd y botel yn ymyl y grât. Clywodd Twm y gwydr yn torri a sylwodd fod y darn o'r botel oedd ar ôl yn ei law yn finiog fel cyllell. Ysgydwodd Quinn ei ben a daeth yn nes at Twm – yn fwy gofalus y tro hwn, gan ddal y darn potel o'i flaen.

Ond yn sydyn roedd yr hen Syr Philip wedi camu heibio i Twm a'i gleddyf hir yn ei law.

'Ar eich gwyliadwriaeth, syr!' gwaeddodd yr hen ŵr bonheddig gan bwyntio'i gleddyf yn syth at gorn gwddf Quinn. Ciliodd hwnnw gam yn ôl. Ond yr eiliad nesaf roedd cleddyf Syr Philip wedi ei grafu yn ei arddwrn nes bod y gwaed yn rhedeg. Digwyddodd y peth mor sydyn fel y gollyngodd Quinn ei afael ar y darn potel a syrthiodd y gwydr yn deilchion i'r llawr.

'Eistedd yn y gadair 'na!' gwaeddodd Syr Philip, ac roedd y fath awdurdod ym mlaen y cleddyf ac yn y llais fel yr eisteddodd Quinn ar unwaith yn ei gadair. Yna cerddodd Toby Stevens i mewn i'r stafell. Agorodd Quinn ei lygaid led y pen pan welodd wasgod goch un o Redwyr Bow Street.

'Nawr,' meddai Syr Philip, 'ble mae dy feistr?'

'Dim syniad.'

Unwaith eto tynnodd Syr Philip y rhaff berlau o'i boced a'i dal o flaen llygaid Quinn.

'Ti ddygodd hon, ontefe? Yn Henffordd, wyt ti'n cofio?'

'Chi sy'n dweud hynny. Rwy i'n gwadu'n bendant.'

'Fe welson ni dy feistr heno, yng Ngwesty Maldano,' meddai Twm, 'ac mae e wedi cyfadde . . .'

'Cyfadde beth?'

'I chi ddwyn y perlau.'

'Celwydd!' meddai Quinn.

'Os gwelwch yn dda,' meddai Toby Stevens, gan gamu ymlaen heibio i Twm a Syr Philip, 'falle y byddwch chi cystal â gadael i fi holi tipyn ar Quinn.'

Eisteddodd ar ymyl y bwrdd ac edrychodd am dipyn yn syth i lygaid Quinn gan daro'i ffon yn erbyn ei esgid.

'Wel, wel, yr hen Quinn,' meddai o'r diwedd, 'mae'n amlwg nad wyt ti'n barod iawn i'n helpu ni. Ble mae dy feistr?'

'Dim syniad! Pam ry'ch chi'n gofyn i fi? Rwy i wedi bod yma drwy'r nos!'

Edrychodd Stevens yn hir arno eto. 'Mae e wedi dianc arnon ni, Quinn. Mae e wedi diflannu.

Nawr, rwyt ti'n 'i nabod e'n ddigon da – ble gall e fod y funud 'ma, fuaset ti'n ddweud? Hm?'

Ddywedodd Quinn ddim gair.

'A wel,' meddai Stevens, gan ysgwyd ei ben ac edrych yn dosturiol arno, 'mae'n debyg na welwn ni byth mohono mwy. Ond rhaid i ni fod yn ddiolchgar, ffrindie, mae'r ffrind Quinn gyda ni; o leia fe fydd un gyda ni i'w grogi am yr hyn a ddigwyddodd yn Henffordd.'

'Am ddwyn y tipyn perlau 'na?'

'Ie, Quinn, a hefyd am y mater bach yna o ladd y benthyciwr arian.'

Sythodd Quinn yn ei gadair.

'Nid fi a'i lladdodd e – rwy'n addo!'

Ysgydwodd Stevens ei ben yn drist.

'Chi gweld, ffrindie, dyna fel mae o hyd – un yn bwrw bai ar y llall. Mae'n debyg dy fod ti'n ceisio dweud mai Syr Henry a lofruddiodd yr hen ddyn . . .'

'Ddwedes i ddim mo hynny!'

'Ac, wrth gwrs, mae Syr Henry'n dweud mai ti laddodd e.'

Nodiodd Stevens ei ben yn araf gan ddal i daro'i esgid â'i ffon.

'Ddwedodd e hynny?'

Roedd pen Stevens ym symud i fyny ac i lawr fel pendil cloc.

'Ry'ch chi'n trio 'nal i!' gwaeddodd Quinn,

gan godi ei ddwylo at ei wyneb. Gwenodd Stevens yn drist arno.

'Ry'n ni *wedi* dy ddal di. Ond mae Syr Henry wedi mynd – wedi diflannu – ond cyn mynd mae e wedi gofalu rhoi'r bai i gyd ar 'i annwyl was.'

Yna clywodd y tri sŵn metel yn tincial.

'Y breichledau, Quinn,' gwaeddodd Stevens. 'Rwy'n dy gymryd i'r ddalfa ar ddau gyhuddiad – lladd y dyn yn Henffordd a dwyn y perlau!'

Neidiodd Quinn o'r gadair. 'Syr Henry laddodd e!'

Yna rhoddodd ei law dros ei geg fel pe bai'n trio rhwystro'i hunan rhag dweud rhagor. Roedd y stafell yn dawel ac eithrio sŵn tap-tap ffon Toby Stevens yn erbyn ei esgid. Edrychodd Quinn o un i'r llall mewn dychryn.

'Wel?' meddai, gan droi'n wyllt at y Rhedwr tal. Roedd Toby Stevens yn edrych i lawr arno fel pe bai'n astudio rhyw bryfyn diddorol, ac aeth meddwl Twm yn ôl i'r diwrnod hwnnw yng nghegin gefn y Three Fishermen pan gafodd e'r un driniaeth gan Toby Stevens, a nawr, er gwaethaf popeth, fe deimlai Twm beth piti dros Quinn.

'Dwed yr hanes wrthon ni,' meddai Toby.

Meddyliodd Quinn am dipyn, yna dywedodd, 'Fe ymosodon ni ar y . . .'

'Tom,' meddai Syr Philip.

'Ie. Ond heb fwriadu dwyn dim byd oddi arno, na gwneud niwed iddo, ond er mwyn ceisio gofalu na fydde fe'n rhedeg yn y ras. Ro'n ni wedi clywed bod yna berygl i'r gaseg guro'r Grey Duke ac roedd Syr Henry wedi betio'n drwm ar hwnnw. Roedd e'n dibynnu ar y ceffyl llwyd i ennill digon iddo fedru talu ei ddyledion. Roedd e mewn dyled i nifer o bobl yn Henffordd. Wel, fe lwyddodd y rhan gyntaf o'r cynllun yn iawn. Fe gawson ni – y – hwn yn ddiogel mewn hen warws yn ymyl yr afon. Ond wrth aros yno yn disgwyl tri o'r gloch – roedd y ras i ddechrau am dri – fe fues i'n ddigon ffôl i fynd trwy'i bocedi fe tra oedd e'n gorwedd ar y llawr fan'ny â'i lygaid ynghau. A dyna pryd y digwyddodd fy mysedd i gyffwrdd â'r perlau yna oedd wedi eu gwnïo tu mewn i'w wasgod e.' Stopiodd Quinn ac ysgydwodd ei ben.

'Beth wedyn, Quinn?' gofynnodd Stevens.

'Doedden ni ddim wedi meddwl y byddai rhywun arall yn gallu marchogaeth y gaseg ddu ar fyr rybudd. Ond dyna ddigwyddodd, ac fe enillodd. Roedd Syr Henry bron yn wallgo. Y noson honno fe aethon ni'n dau at y benthyciwr arian i geisio prynu'r perlau wrtho, ond rhaid 'i fod e'n amau mai wedi eu dwyn yr o'n nhw, oherwydd fe wrthododd roi dimai goch amdanyn nhw. Ac fe ddwedodd yn blwmp ac yn blaen 'i fod e'n bwriadu rhoi'r gyfraith ar

Syr Henry bore trannoeth os nad oedd e'n mynd i glirio'i ddyledion.'

Edrychodd Quinn i lygad y tân â golwg ar ei wyneb fel pe bai'n gallu gweld unwaith eto yr hyn a ddigwyddodd wedyn yn y siop dywyll honno yn y stryd gefn yn Henffordd.

'Fe gollodd Syr Henry arno'i hunan yn llwyr. Cofiwch, roedd e wedi bod yn yfed . . . Roedd pob math o bethau ar gownter y siop . . . ac un ohonyn nhw oedd hen gyllell fawr â charn o asgwrn melyn. Fe gydiodd Syr Henry yn y gyllell . . . a chyn i fi sylweddoli beth oedd yn digwydd, roedd e wedi trywanu'r hen ŵr yn 'i fynwes. Fe syrthiodd i'r llawr heb ddweud gair. Fe redais i allan o'r lle ar unwaith, ond fe arhosodd Syr Henry . . . a rhaid 'i fod e wedi dod o hyd i dipyn o arian yr hen ddyn, oherwydd mae e wedi llwyddo i fyw'n gyffforddus yn Llundain oddi ar y diwrnod hwnnw. Ond yn ddiweddar mae e wedi bod yn gamblo'n drwm ac rwy'n meddwl 'i fod e wedi colli'r cyfan.'

Edrychodd Stevens ar Twm.

'Rwy wedi bod yn ddigon hir yn Bow Street i adnabod y gwahaniaeth rhwng stori gelwyddog a stori wir. Ac mae'r stori yma, mae'n dda gen i ddweud, Quinn, yn swnio'n wir. Mae hyn yn golygu, Tom, dy fod ti wedi dy gyhuddo ar gam, ac rwy'n ofni i ti ddioddef tipyn oherwydd hynny.'

Edrychodd Twm ar ei wyneb hir main, gan wybod na allai fyth feddwl amdano ond fel cythraul o ddyn oedd wedi achosi llawer o ofid a thrwbwl iddo. 'Beth nawr?' gofynnodd yn sych.

'Rwyt ti'n ddyn rhydd cyn belled ag rwy i yn y cwestiwn. Wrth gwrs, dw i ddim yn gwybod beth fydd yr awdurdodau'n ei feddwl dy fod ti wedi dianc o garchar Henffordd . . .'

'Mi fydda i'n gweld y Prif Weinidog, Lord North, y peth cynta bore fory,' meddai Syr Philip.

'Gobeithio y byddwch chi mor garedig, syr, â rhoi gwybod i'r awdurdodau fod Toby Stevens wedi gwneud 'i ore . . .'

Edrychodd ar Twm â gwên seimllyd ar ei wyneb.

'Dwyt ti ddim wedi dal y llofrudd eto, beth bynnag,' meddai hwnnw'n ddig.

'Eitha gwir,' meddai'r Rhedwr. Trodd at Quinn unwaith eto. 'Nawr, Quinn,' meddai, 'rwyt ti mewn tipyn o drwbwl, ond os allet ti helpu'r Gyfraith i ddod o hyd i'r llofrudd, mae'n debyg y byddai'r Gyfraith yn barod i fod yn garedig tuag atat ti. Ble mae e, Quinn?'

Ysgydwodd y gwas ei ben. Yna, am eiliad, edrychodd ar Stevens fel pe bai wedi meddwl am rywbeth a allai fod o help. Ond ysgydwodd ei ben wedyn a throi i edrych yn syn i'r tân. Ond roedd y Rhedwr wedi sylwi ar yr olwg honno ar ei wyneb. Plygodd ymlaen.

'Fe fydd hi'n wael iawn arnat ti os na ddown ni o hyd i Syr Henry. Does gyda ti ddim un syniad bach ble gallai dy feistr fod y funud 'ma?'

'Wel . . .'

'Ie, Quinn?'

'Wel, mae 'na gwch – llong fach – y *Jean Emma* o Ffrainc yn y porthladd 'ma ar hyn o bryd. Dau Ffrancwr – Anton a Pierre Cartier – sy piau hi. Ond yn ddiweddar mae Syr Henry wedi bod yn gwneud tipyn o fusnes gyda nhw. Rwy'n deall mai smyglo gwin o Ffrainc i'r wlad yma y maen nhw, ac mae Syr Henry yn gofalu am gwsmeriaid iddyn nhw yn Llundain. Os yw Syr Henry'n meddwl dianc o'r wlad fe allai wneud hynny'n hawdd yn llong y brodyr Cartier. Cofiwch, alla i ddim profi hynny ond pe bawn i yn 'i le fe'r funud 'ma, mae'n debyg y byddwn i'n neidio at y cyfle i adael y wlad am dipyn nes i bethau dawelu.'

Edrychodd Stevens ar Twm a Syr Philip. 'Gwell i ni fynd heb golli rhagor o amser!'

Pennod 28

Llifai afon Tafwys yn esmwyth dan y lleuad. Ar ei mynwes lydan roedd ugeiniau o gychod bach a mawr, rhai'n symud i fyny ac i lawr a'r lleill wrth angor. Roedd tarth yn codi o'r dŵr i wneud y cyfan fel golygfa mewn breuddwyd. Chwyrlïai'r niwl o gwmpas mastiau uchel a rigin y llongau mawr a gwnâi i olau'r lampau ar y lan edrych yn fwy llwm nag arfer.

Daeth cerbyd ac un ceffyl yn ei dynnu i lawr y ffordd dywyll oedd yn arwain i'r dociau. Stopiodd y cerbyd cyn dod o fewn cyrraedd goleuadau'r harbwr, a daeth Syr Philip, Twm, Stevens a Quinn allan ohono. Doedd Weavers Lane ddim yn bell o'r afon, ond gan fod yr hen Syr Philip wedi mynnu dod gyda nhw, a chan ei fod yn rhy herciog i gerdded yn gyflym roedden nhw wedi llogi cerbyd. Nawr cerddai'r pedwar yn ddistaw trwy'r tarth i gyfeiriad yr afon – Quinn a Stevens ar y blaen, wedyn Twm, yna Syr Philip yn dilyn o hirbell. Roedd pob math o arogleuon dieithr yn dod i ffroenau Twm.

Roedden nhw'n ddieithr iddo am nad oedd wedi bod ym mhorthladd Llundain erioed o'r blaen.

Aethon nhw heibio i longau tywyll oedd wedi eu clymu wrth y cei. Allan ar yr afon gallen nhw glywed rhywun yn canu mewn llais tenor trist. Yn nes atyn nhw gallen nhw glywed tonnau bach yr afon yn taro 'lap-lap' yn erbyn y cei.

Gwelodd Twm Stevens a Quinn yn aros. Pan ddaeth atyn nhw dywedodd Stevens mewn llais isel, 'Os yw'r llong yma, mae hi wedi ei chlymu wrth y cei hanner canllath o'r fan yma. Rhaid i ni fynd ar flaenau ein traed o hyn ymlaen.' Fe geisiodd Twm feddwl am yr hen Syr Philip, oedd yn hercian tu ôl iddyn nhw, yn cerdded ar flaenau ei draed!

Ymlaen â nhw eto mor ddistaw a phosib, gyda Stevens yn eu harwain nhw.

'Dyna hi!' sibrydodd. 'Mae'r llong yma, beth bynnag!'

Edrychodd Twm trwy'r tywyllwch a gwelodd hen long fach ddigon diflas yr olwg wedi ei chlymu wrth y cei, ac ar y bow mewn llythrennau gwyn bras gallai weld yr enw – *Jean Emma*.

Gorweddai'r llong yn dywyll ac yn ddistaw wrth y cei a doedd dim un arwydd o fywyd arni. Wrth edrych yn agosach dyma nhw'n gweld bod darn hir o bren wedi ei osod yn bont simsan rhwng y llong a'r cei. Cododd Stevens ei ffon fel arwydd, a cherddodd yn ddistaw ar draws y darn pren. Aeth y ddau arall ar ei ôl, Quinn yn ail a Twm yn drydydd. Plygai'r pren yn beryglus o dan eu pwysau, a chan fod 'breichledau' Stevens yn dynn am ei ddau arddwrn, roedd Quinn, druan, yn cael trafferth mawr iawn i gadw ar ei draed. Cydiodd Twm yn ei fraich a'i wthio yn ei flaen. Am foment roedd wedi anghofio'r cyfan am yr hen Syr Philip.

Cyrhaeddodd y tri ddec y *Jean Emma* yn ddiogel. Wedi cyrraedd yno dyma nhw'n gweld bod yna olau'n dod allan trwy bortol ar yr ochr oedd yn wynebu'r afon. Disgleiriai'r golau o'r portol agored ar draws y dŵr brwnt. Daeth Stevens o hyd i'r grisiau tywyll a oedd yn arwain i lawr i berfeddion y llong, a chydag arwydd arall â'i ffon dechreuodd ddisgyn yn ddistaw o'r golwg. Safodd Twm am funud yn meddwl beth i'w wneud. A ddylai fynd i lawr i helpu Stevens? Ond beth allai wneud â Quinn? Yna gwelodd Syr Philip â'i gleddyf yn noeth yn ei law, yn dod yn araf dros y bont sigledig rhwng y cei a'r llong. Estynnodd Twm ei fraich i'w helpu i'r dec ond chwifiodd yr hen ŵr bonheddig ei gleddyf fel arwydd nad oedd am help neb. Roedd Twm yn dal ei anadl wrth i Syr Philip fynd o gam byr i gam byr yn nes at y llong. O'r diwedd cyrhaeddodd yn ddiogel.

'Wel, ydy e 'ma, Tom?'

'Sh!' sibrydodd Twm. 'Mae Stevens wedi mynd lawr i weld, syr. Os edrychwch chi ar ôl Quinn, mi a' i lawr ar 'i ôl e.'

'Wrth gwrs. Chaiff y gwalch ddim dianc, Tom.'

Roedd Twm hanner ffordd i lawr y grisiau tywyll pan ddechreuodd yr halibalŵ rhyfeddaf ym mherfeddion y *Jean Emma*. Clywodd ddrws yn agor yn sydyn, yna llais Toby Stevens yn gweiddi, 'Yn enw'r Gyfraith!' Wedyn daeth sgrech oer drwy'r tywyllwch.

Rhuthrodd Twm yn ei flaen. Doedd dim angen mynd yn ddistaw nawr. Gwelodd ddrws caban yn agored o'i flaen a golau'n llifo allan drwyddo. Rhedodd i mewn drwy'r drws a gwelodd Toby Stevens yn gorwedd ar y llawr. Roedd dau ddyn, mor debyg i'w gilydd â dau efaill, yn plygu drosto, ac roedd gan un ohonyn nhw gyllell yn ei law. Rhain oedd y ddau Ffrancwr, meddyliodd Twm.

'Help, yn enw'r Gyfraith!' gwaeddodd Toby o'r llawr. Gwthiodd un o'r Ffrancwyr ei benglin i'w stumog â'i holl nerth.

Aeth Twm ymlaen yn araf at y Ffrancwr oedd yn dal y gyllell yn ei law.

Yna trwy gil ei lygad gwelodd symudiad o'r tu ôl iddo a chamodd Syr Henry Mortimer allan o'r tu ôl i'r drws. Roedd ganddo bistol ymhob llaw, ac roedd yr olwg filain ar ei wyneb yn ddigon i godi dychryn ar bawb. Ciliodd y ddau Ffrancwr yn ôl gam oddi wrth Toby Stevens ac nawr ro'n nhw'n sefyll gan edrych yn frawychus ar Syr Henry.

'Sut daethoch chi o hyd i'r llong 'ma?' gofynnodd rhwng ei ddannedd.

Cododd Toby Stevens yn araf ac yn ofalus ar ei draed.

'Wel?' meddai Syr Henry.

'Quinn,' atebodd Stevens o'r diwedd, 'ac mae e wedi dweud wrthon ni sut y bu'r benthyciwr arian farw.' Ar ôl dweud hyn tynnodd anadl hir, yna aeth ymlaen eto. 'Ac rwy wedi dod 'ma i'ch cymryd chi i'r ddalfa, Syr Henry.'

Am unwaith allai Twm ddim llai nag edmygu Toby Stevens. Roedd angen dewrder i ddweud peth fel yna wrth edrych i mewn i farilau dau bistol.

Chwarddodd Syr Henry'n gas.

'Fy nghymryd i i'r ddalfa! Wel, pam na wnei di? Pam na wnei di? E?'

Roedd yn gweiddi nawr a sylwodd Twm fod y ddau bistol yn crynu yn ei ddwylo.

'Wel?' gwaeddodd eto a'i lygaid yn fflamio. 'Pam na ddoi di mlan i 'nghymryd i i'r ddalfa? Ie, ie, fi laddodd yr hen ddyn, dere mlan!'

Symudodd Toby Stevens ddim.

'Wel, wel, un o Redwyr Bow Street, hefyd!

Ro'n i'n meddwl bod mwy o blwc tu ôl i'r wasgod goch yna!' Mae'r dyn yn wallgo, meddyliodd Twm.

Roedd llygaid Toby'n hanner cau a'r ffon wrth ei arddwrn am unwaith yn berffaith lonydd.

'Mi faswn i wedi mynd ers amser oni bai fod y ddau ffŵl 'ma' (gan gyfeirio at y ddau Ffrancwr), 'yn dweud bod rhaid aros i'r llanw droi. Ond nawr mae'n rhy hwyr i ddefnyddio'r *Jean Emma*. Rhaid newid tipyn ar fy nghynlluniau. Mewn munud mi fydda i'n mynd allan drwy'r drws 'ma, ac os nad y'ch chi ar frys i fynd i gwrdd â'r benthyciwr arian, peidiwch â mentro i'r dec am ddeng munud ar ôl i mi fynd,' meddai Syr Henry.

Aeth yn araf lwyr ei gefn tuag at y drws. Yr eiliad nesaf gwelodd Twm fraich Toby Stevens yn symud a'r ffon oedd wrth ei arddwrn yn saethu i fyny i'r awyr. Clywodd hi'n chwibanu heibio i glust Syr Henry cyn diflannu i'r tywyllwch tu draw i'r drws agored. Yna syfrdanwyd pawb gan sŵn ergyd. Gwelodd Twm fflach o dân yn neidio o faril y pistol yn llaw dde Syr Henry, a Toby Stevens yn llithro'n araf i'r llawr. Gorweddodd y Rhedwr yn llonydd ar lawr y caban. Dechreuodd y ddau Ffrancwr ddweud rhywbeth yn uchel yn eu hiaith eu hunain. Edrychodd Syr Henry ar Twm gan ddisgwyl bob eiliad iddo danio'r pistol arall.

Ond wnaeth e ddim. Yn lle hynny symudodd yn araf tuag at y drws. Wrth weld y wên greulon ar ei wyneb roedd yn hawdd gan Twm gredu bod hwn wedi lladd mwy nag unwaith. Cyrhaeddodd y drws, yna stopio'n sydyn. Daeth newid rhyfedd dros ei wyneb.

'Gollyngwch y pistol 'na, Syr Henry, neu fe fydd llathen o ddur y cleddyf 'ma yn mynd drwy'ch corff chi'r funud 'ma!'

Llais yr hen Syr Philip!

Disgynnodd y ddau bistol ar lawr derw'r caban.

Pennod 29

Roedd y goets fawr yn dringo'n araf i fyny'r rhiw i gyfeiriad Tregaron. Daeth y gaeaf yn gynnar i'r wlad y flwyddyn honno. Disgleiriai lleuad lawn ar gaeau a chloddiau'n wyn gan farrug, o bob ochr i'r ffordd. Ar ben y goets roedd Wil Prichard y gyrrwr yn eistedd yn ei blyg, a theimlai'r oerfel yn ei esgyrn, ar waethaf y ddwy got fawr o frethyn trwchus oedd amdano. Cododd goler ei got yn uwch am ei glustiau a chwifiodd ei chwip yn ysgafn dros war y ceffylau. Ond roedd rheiny wedi blino a chafodd y chwip fawr o effaith. Roedd eu cyrff yn mygu yng ngolau'r lleuad.

'Maen nhw'n gynnes, beth bynnag,' meddyliodd Wil Prichard. Roedd e'n teimlo'n unig, gan nad oedd neb yn teithio ar ben y goets y noson honno, ac roedd e'n edrych ymlaen yn eiddgar at gyrraedd tafarn Llwyn-yr-hwrdd a'r gegin gynnes oedd yno, lle roedd tân a phobl a chroeso.

Erbyn hyn dim ond tri oedd y tu mewn i'r goets – Twm Siôn Cati, Ledi Eluned Prys a

224

Neli'r forwyn. Roedd y tri wedi blino'n lân. Yn y gornel bellaf oddi wrth Twm roedd Neli'r forwyn yn cysgu'n dawel, er bod ei phen yn siglo'n ôl a blaen gyda symudiadau'r goets ar y ffordd arw. Roedd Ledi Eluned yn cysgu hefyd a'i phen yn pwyso ar ysgwydd Twm.

Ond allai Twm ddim cysgu. Roedd gormod o feddyliau yn gweu trwy ei ymennydd.

Edrychodd ar Neli. Roedd yn dal ei phen rhag siglo'n ôl a blaen. Druan ohoni! Roedd e'n gwybod nad oedd hi wedi mwynhau yr un funud o'r siwrnai hir i Lundain ac yn ôl. Ond ar yr un pryd roedd e'n gwybod y byddai'n adrodd hanes y daith honno am flynyddoedd, gyda balchder mawr, wrth ei ffrindiau yn Nhregaron.

Fe lithrodd ei feddwl yntau'n ôl dros y daith ryfedd honno. Meddyliodd am yr hyn a ddigwyddodd yn nhafarn y Black Horse lle roedd yr holl helynt wedi dechrau, ac am y digwyddiadau yn Henffordd, cyn ac ar ôl y ras.

Cofiodd y gloch ofnadwy honno'n canu wrth i Joe King, y lleidr pen-ffordd, gael ei arwain o'i gell yng ngharchar Henffordd i'r crocbren. Lleidr pen-ffordd neu beidio, roedd e wedi hoffi Joe King am ei ddewrder wrth farw. Ond roedd wedi casáu Toby Stevens â chas perffaith. Allai e ddim edrych ar y dyn tal, tenau â'r wasgod goch heb deimlo'n ddig tuag ato. Ond roedd hwnnw wedi dangos dewrder eithriadol yn y diwedd hefyd, wrth wynebu'r dihiryn Syr Henry Mortimer yng nghaban y *Jean Emma*. A nawr roedd Twm yn ddiolchgar nad oedd bwled Syr Henry wedi mynd â'i fywyd. Trawodd yr ergyd e yn ei ysgwydd ac roedd yn debyg o fyw i ddal rhagor o ladron pen-ffordd!

Dyna Quinn wedyn, a oedd yn gyfrifol am lawer o drafferthion Twm. Ond pan ddringodd o'r caban i ddec y *Jean Emma* y noson honno, a chael bod y gwalch wedi diflannu, fe deimlai'n eithaf balch! Diau ei fod wedi dianc cyn gynted ag yr aeth Syr Philip i lawr y grisiau i'r caban ar ôl clywed yr ergyd. Sut oedd y rog wedi cael gwared o'r 'breichledau' am ei ddwylo, tybed?

Fe geisiodd Twm feddwl pam roedd wedi teimlo'n falch fod dihiryn fel Quinn wedi dianc. Roedd e'n gwybod yn ei galon mai am ei fod e ei hunan wedi dianc wrth y Gyfraith y teimlai felly. Oedd, meddyliodd, roedd e wedi cwrdd â sawl math o ddihiryn ar y daith yma i Lundain.

Aeth olwyn y goets i mewn i dwll yn y ffordd ac ysgydwyd y tri ohonyn nhw. Clywodd Twm Ledi Eluned yn ochneidio yn ei chwsg a rhoddodd ei fraich yn dyner amdani.

Roedd y ceffylau'n teithio ar y gwastad erbyn hyn. Meddyliodd Twm wedyn am yr hen Syr Philip ac am Elmwood, ei blasty hardd lle roedd e a Ledi Eluned wedi torri'r siwrnai o Lundain. Sylweddolodd nawr iddo wneud yn ddoeth pan gytunodd i adael y gaseg ddu gyda Syr Philip a Wilf yn Elmwood. Pan ofynnodd yr hen ŵr bonheddig am gael ei chadw dros y gaeaf er mwyn ei pharatoi ar gyfer rasio yn ystod y gwanwyn a'r haf canlynol, doedd Twm ddim yn teimlo'n fodlon iawn. Ond nawr, wrth gofio'r siarad a glywodd yn stabl y Dolau, roedd e'n gwybod y byddai'r gaseg yn fwy diogel yn Elmwood nag yn Nhregaron. A pheth arall, allai e ddim siomi'r hen ŵr bonheddig oedd wedi dangos cymaint o garedigrwydd tuag ato.

❧

Cerddai Twm Siôn Cati a Ledi Eluned i fyny'r lôn at y plas. Roedd hi'n ddeg o'r gloch y nos, ac roedd Ledi Eluned wedi gyrru Neli i roi gwybod i bawb yn y plas fod ei meistres wedi cyrraedd adre.

Daethon nhw i'r tro yn y lôn lle roedd y llwyn rhododendron mawr. Roedd e'n disgleirio fel arian dan haenen o farrug. O'r fan honno gallen nhw weld y plas. Roedd golau ym mhob ffenest, bron. Wrth weld hyn dywedodd Twm, 'Mae Plas y Dolau yn eich croesawu chi adre'.

Trodd hithau ei hwyneb hardd tuag ato. 'Mae'r Dolau yn eich croesawu chithe hefyd, Twm.'

Gwasgodd Twm ei llaw a cherddodd y ddau yn flinedig, ond yn hapus, ar draws y lawnt ac i fyny'r grisiau mawr at y drws.

DIWEDD

O.N.

Rai blynyddoedd yn ôl roedd ocsiwn yn fferm Llethr Mawr, gerllaw Merthyr Cynog. Yn yr ocsiwn honno fe brynodd siopwr o sir Aberteifi hen Feibl Cymraeg. Y tu mewn i'r clawr roedd enw ei berchennog cyntaf – Rhys Parri, 1768 – a rhwng tudalennau'r hen Feibl daeth y siopwr o hyd i un tudalen o hen bapur newydd, a hwnnw wedi melynu gan oed. Y dyddiad ar ben y ddalen oedd 8 Ionawr 1777, ac arni roedd un hanesyn oedd o ddiddordeb mawr i mi, pan ddaeth y darn papur i'm llaw yn ddiweddar:

'Yesterday a highwayman and a murderer were hanged on Tyburn Hill. The highwayman was John Slack of Dartford, who had been, for the last two years, the terror of all honest travellers on the roads leading into London. The other evil-doer was Henry Mortimer, found guilty of murdering a money lender and of wounding a Bow Street Runner. The execution of both rogues was watched by a great multitude of people. May their fate be a lesson to all highwaymen, murderers, thieves and vagabonds.'